Mein großes Bastel-Buch

Band 1

Mein großes Bastel-Buch

Die schönsten Ideen vom Bastelbär

Zusammengestellt und überarbeitet von Sabine Cuno.

Buchgestaltung von Kirsch & Korn.

Otto Maier Ravensburg

Die Beiträge in diesem Buch haben ausgedacht und beschrieben:
Susanne Becker, Klaus Bliesener, Monika Blume, Sabine Cuno,
Elisabeth Gloor, Barbara Grijpink, Kirsch & Korn,
Sabine Lohf, Ulrike und Wolfgang Metzger, Sylvia Öwerdieck,
Beatrice Tanaka, Marianne Weber
und gezeichnet:
Susanne Becker, Klaus Bliesener, Christl Burggraf,
Elisabeth Gloor, Barbara Grijpink, Kirsch & Korn, Sabine Lohf,
Wolfgang Metzger, Sylvia Öwerdieck und Beatrice Tanaka.

Fotografiert haben: Ulrike Schneiders, Thomas A. Weiss u. a.

Die Bastelbärbilder malte Jutta Kirsch-Korn.

© 1989 Ravensburger Buchverlag Otto Maier GmbH
Hrsg. und Redaktion: Sabine Cuno
Layout und Umschlaggestaltung: Kirsch & Korn, Tettnang
Fotos: Ulrike Schneiders, Thomas A. Weiss u. a.
Printed in Germany

8   7   6   95   94

ISBN 3-473-37191-2

Inhaltsverzeichnis

Einleitung 7

Erstes Papierfalten 9
So wird richtig gefaltet 10
Hexentreppe ● 11
Ziehharmonika ● 11
Fächer ● 12
Libelle ● 12
Bunte Quallen ● 14
Hüte, Hüte... ● 14
Himmel und Hölle 15
Fangbecher ● 15
Schiffchen ● 16
Dampfer 17
Papierflieger ● 18

Wir feiern eine Kinderparty 21
Der Clown lädt ein ● ☆☆☆ 22
Puppen-Reigen ● ☆☆☆ 22
Wer segelt mit? ● ☆☆☆ 23
Eine lange Einladungskarte ● ☆☆☆ 26
Buchstaben auf der Leine ☆☆☆ 27
Wörterspiel ☆☆☆ 28
Eine Tüte voll Hüte ● ☆☆☆ 29
Dein Trinkhalm blüht! ● ☆☆☆ 30
Lustige Trinkgesellen ☆☆☆ 31
Tischkarten zum Aufessen ● ☆☆ 32
Schlecker-Schnecke ☆☆☆ 34
Ein Erinnerungsfoto ☆☆ 35

Ich mach mich schön! – Kinderschmuck 37
Erst sammeln, dann fädeln ● 38
Korken-Kette ☆☆ 39
Perle an Perle 39

Bunte Knoten 42
Blütenkranz ● 42
Sie halten die Zöpfe... 43
Ohrringe ● 44
Verkleidete Fläschchen ● 45

Bunte Osterbasteleien 47
Hasenversteck und Blumenkarte 48
Zauber-Ei ● 49
Eine kleine Wiese ● 50
Ostereier-Tiere ● 52
Bunte Schmetterlinge ● 53
Blühende Eier ● 54
Osterhase ● 55

Selbstgemacht und mitgebracht – Geschenke 57
Bunte Eierwärmer ● 58
Für kleine Schätze ● 59
Häkeltäschchen 60
Für alle Fälle... ● 61
Aus dem Häuschen ● 62
Bunte Märchenblume 64
Kleiner Zaubergarten 65
Ein Nadelkissen mit Schublade 65
Maus mit was raus... ● 66
Feines Briefpapier ● 67
Bunter Bleistift-Becher ● ☆☆ 68
Henkelkörbchen ● 68
Die freche Schachtel 70
Freßsäckchen und andere Tüten 72
Eine dicke, schicke Tonne ● 73

Hurra – endlich ist der Sommer da! — 75

Ahoi! ● 👫 — 76
Das Ferienfloß 👫 — 78
Max der Freischwimmer 👫 — 79
Spicker ● 👫 — 80
Riesenseifenblasen ● 👫 — 81
Tierlichter ● — 82
Pustebällchen ● 👫 — 84
Die Puzzle-Post ● — 84
Rezept: Fruchtiger Sommer-Salat ● — 85
Rezept: Eismilch ● — 85

Alle deine Tiere — 87

Hampelbär 👫 — 88
Familie Putt-Pick ● 👫👫 — 89
Elefanten-Trompete ● — 90
Vogel, Katze und Giraffe ● — 92
Die Uckis kommen! — 93
Kleiner Bastel-Bär — 94
Bunte Schnecken ● — 95
Mäuschen ● — 96
Schnattertiere ● — 96
Krabbelkäfer ● — 98
Wackelschildkröte 👫 — 98
Marienkäfer ● — 99
Im Klammer-Zoo ● — 100
Schwan und Ente ● — 101
Riesenkrokodil 👫 — 102

Wer spielt mit? — 105

Flunderspiel ● 👫👫 — 106
Pustetüten ● 👫👫 — 106
Löwenbändigerspiel ● 👫👫 — 108
Bänder- und Brezelspiel ● 👫👫 — 109
Fang die Maus! ● 👫👫 — 110
Sandmädchen ● 👫👫 — 111
Farben kegeln ● 👫👫 — 114
Treffpunkt im Spielhaus — 115
Bäumchen pflanzen ● 👫👫 — 116

Laterne, Laterne... — 119

Goldenes Licht — 120
Stablaterne 👫 — 120
Eulenfamilie 👫👫 — 122
Leuchttürme ● 👫👫 — 124
Laternen-Gruß — 125

Eicheln, Kastanien, Blätter und Beeren — 127

Alle meine Tiere ● 👫 — 128
Alles aus Blättern ● — 130
Rezept: Schokoladenblätter ● 👫 — 134
Schmetterlings-Mobile ● 👫 — 135

Puppen-Parade — 137

Viele, viele Männchen ● — 138
Ein Clown zum Spielen 👫 — 140
Herr und Frau Kuller 👫 — 142
Ein Puppenkind ● 👫 — 144

Basteln vor Weihnachten — 147

Auf dem Christkindlmarkt 👫👫 — 148
Wer hat die schönsten Schäfchen?
● 👫👫 — 149
Kerzenhalter ● — 152
Lichter-Häuschen — 153
Advents-Laterne — 154
Leuchtender Fensterschmuck ● 👫👫 — 156
Rezept: Gefüllte Bratäpfel ● 👫 — 157
Schwimmende Lichter ● 👫 — 158
Weihnachtsvögel ● — 158
Rezept: Schokonüsse ● 👫 — 159

Dein großes Bastelbuch begleitet dich durch das ganze Jahr. Hier findest du die schönsten Bastelideen für Ostern, Ferien, Herbst und Weihnachten.

Die meisten Sachen sind so einfach, daß du sie ganz leicht nachbasteln kannst. Sie sind im Inhaltsverzeichnis mit einem ● markiert.
Manchmal sind vier Hände geschickter als zwei – deshalb bitte bei den Basteleien, die dieses Zeichen 🏃 haben, jemand älteren um Hilfe. Wenn du in deiner Kindergartengruppe, mit Freunden oder deiner Familie gemeinsam basteln willst, findest du dafür Ideen mit diesem 🏃🏃 Zeichen.

In den blauen Rähmchen steht alles, was du zum Basteln brauchst. Zum Beispiel Butterbrotpapier, mit dem du abpausen kannst:
Das Butterbrotpapier auf das Pausmuster legen, dieses mit einem weichen Bleistift abzeichnen, das Butterbrotpapier wieder umdrehen, auf das Bastelmaterial (Rückseite) legen, nochmals kräftig die Linien nachfahren – das Muster ist abgedruckt.

Nun noch ein paar Tips vorweg:
Beim Malen mit Plakafarben ein altes Hemd anziehen!

Walnußschalen vorsichtig mit einem stumpfen Messer entzweien.

Korken mit einem <u>richtig scharfen</u> Messer zerschneiden. Stumpfe Messer rutschen viel leichter ab – ein scharfes schneidet, wo es soll!

Eicheln und Kastanien mit einem Milchdosenöffner anbohren.
Aber: Vorsicht!

Wenn du Streichhölzer brauchst – nur die abgebrannten nehmen!

So, nun kann es losgehen. Viel Spaß!

Dein Bastelbär

Erstes Papierfalten

Hexentreppe, Himmel und Hölle,
Schiffchen und Hüte aus Zeitungspapier…
Oder möchtest du lieber
zwei prima Papierflieger haben?

Schau dir mal die nächsten Seiten an.
Mit vielen klaren Zeichnungen
zeigt dir der Bastelbär, wie gefaltet wird.

Du brauchst nur abzugucken,
und mit etwas Geduld bist du schon bald
ein ganz geschickter Papierfalter!

Für alle Modelle in diesem Kapitel brauchst du folgende Sachen:

**Dünnes farbiges Papier
weißes Schreibpapier
dünnes farbiges Ton-
papier, stabiles
Tonpapier für alles,
was stehen soll
Zeitungspapier, Alufolie
Nadel und Faden, wenn
du etwas aufhängen willst
Bunt- oder Filzstifte zum
Verzieren, Watte
Schere, UHU-Klebstoff
Bleistift und Lineal**

Und so wird richtig gefaltet:

Am besten bastelst du auf einem großen Tisch, damit du genügend Platz hast. Falte möglichst genau und streiche jede Falte mit dem Fingernagel nach, dann hält sie besser!
Hier siehst du, was die verschiedenen Zeichen in diesem Kapitel bedeuten und wie man richtig danach faltet:

Schnittlinien und Papierkanten

Das Papier in der Mitte falten;
es ist jetzt nur noch halb so groß.

Das Papier wird von zwei Seiten
jeweils zur Mitte gefaltet.

Ein quadratisches Papier wird Ecke
auf Ecke gelegt.

Zwei Ecken eines quadratischen
Papiers werden jeweils zur gegenüberliegenden Ecke gefaltet.

Bergfalte: Der Falz steht oben.

Talfalte: Der Falz steht unten.

$$\vee \rightarrow \wedge \: , \: \wedge \rightarrow \vee$$

Umbrechen: Wenn eine Bergfalte in eine
Talfalte verwandelt wird.

Vorderseite der Bastelei umdrehen und
mit der Rückseite weiterarbeiten.

Hexentreppe

Schneide dir zwei 3 cm breite und 50 cm lange
Streifen Tonpapier zurecht. Wie die Hexentreppe
gebastelt wird, siehst du auf der Zeichnung unten.
Aus einer Hexentreppe kannst du vieles machen:
bunte Zickzackschlangen, Girlanden, einen
Tintenfisch… Und wenn du sie aus Goldpapier
faltest und aufhängst, hast du schönen Weih-
nachtsschmuck.

*Morgens früh um 6
kommt die kleine Hex',
Fröschebein und Krebs und Fisch,
hurtig, Kinder, kommt zu Tisch!*

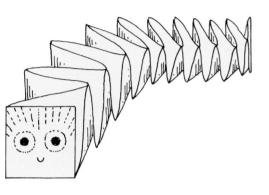

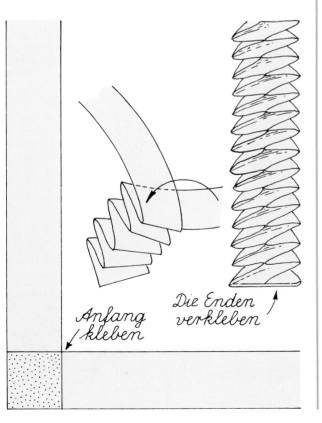

*Anfang
kleben*

*Die Enden
verkleben*

Ziehharmonika

Für die Ziehharmonika brauchst du zwei 5 cm
breite und 1 m lange Tonpapierstreifen. Die Halte-
griffe entstehen aus zwei 2 x 8 cm großen Streifen.
Falte die Ziehharmonika genauso wie die Hexentreppe und klebe zum Schluß die Schlaufen an.

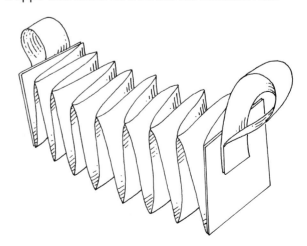

Fächer

Nimm ein 20 cm breites und 50 cm langes Stück Tonpapier. Falte an der schmalen Seite einen 1 cm breiten Streifen. Drehe das Papier um und mach dasselbe auf der anderen Seite: umdrehen, falten, umdrehen, falten, bis zum Ende des Blattes. Dann wird der Fächer schön verziert. Zum Schluß klebe einen Papierstreifen als „Griff" fest um das eine Ende.

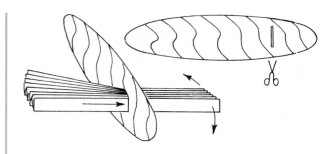

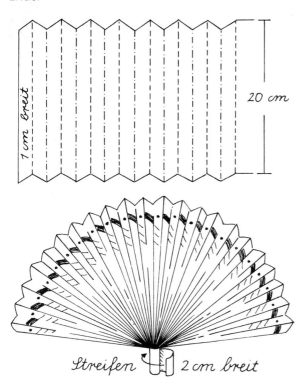

1 cm breit

20 cm

Streifen 2 cm breit

Libelle

Den Libellenflügel faltest du genauso wie den Fächer. Nebenan siehst du die Form für den Libellenkörper. Schneide ihn aus stabilem Tonpapier zurecht und verziere ihn mit bunten Mustern. Dann schneide in den vorderen Teil einen Schlitz. Er muß so breit wie dein zusammengefalteter Fächer sein!
Stecke die Flügel durch den Schlitz und ziehe die Falten etwas auseinander.

Wenn du in den Körper ein Loch stichst und einen Faden durchfädelst, kann deine Libelle „fliegen"…

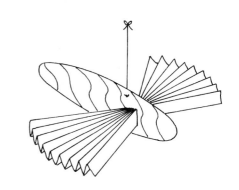

*Eine kleine Libelle,
die flog ganz schnelle
über den See,
juchhe!*

Bunte Quallen

Zeichne einen Kreis von 15 cm Durchmesser auf Tonpapier, schneide ihn aus, falte ihn einmal in der Mitte und schneide ihn an der Mittellinie durch. Die drei „Hexentreppen-Beine" faltest du wie gewohnt. Laß dabei ein Ende offen, damit du sie beim Zusammenkleben zwischen die Körperhälften kleben kannst.

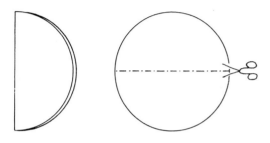

Zum Schluß wird der Körper noch bunt verziert. Wenn du oben ein Loch durchstichst und einen Faden befestigst, kannst du deine Qualle aufhängen.

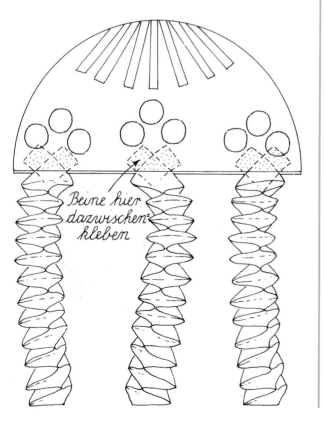

Beine hier dazwischenkleben

Hüte, Hüte…

Du brauchst einen Bogen Zeitungs- oder Tonpapier. Falte das Papier so, wie du es auf den Zeichnungen 1-4 siehst.
Diesen Hut kannst du auch in einen Ritterhelm verwandeln. Den Robin-Hood- oder Jägerhut bekommst du, wenn du eine Ecke umschlägst und ihn mit Feder und Band schmückst. Für den Puppen- und Puppenmutterhut schlägst du die obere Ecke um und klebst sie fest.
Damit dein Hut besser hält, befestige 2 Bänder daran.

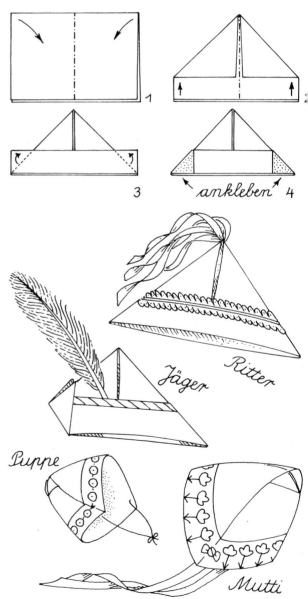

1

3

ankleben 4

Jäger

Ritter

Puppe

Mutti

Himmel und Hölle

Ein weißes Papier (20 x 20 cm) wird so gefaltet, wie du es auf den Zeichnungen 1 + 2 siehst. Dann werden jeweils zwei gegenüberliegende Ecken rot und blau angemalt und danach von der weißen Rückseite aus die vier Taschen herausgedrückt (Zeichnung 3).

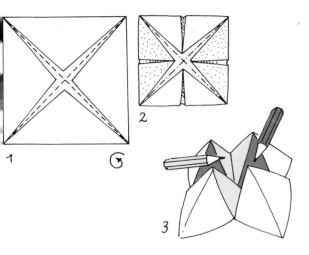

Spielregel

Himmel und Hölle spielst du mindestens zu zweit. Einer nennt eine Zahl zwischen 1 und 20. Dann werden abwechselnd Himmel und Hölle geöffnet, und zwar so lange, bis die genannte Zahl erreicht ist. Was bringt die gewünschte Zahl: Himmel oder Hölle…?

Fangbecher

So entsteht ein Fangbecher:
1. + 2. Zwei genüberliegende Ecken genau aufeinanderlegen: Aus dem Quadrat entsteht ein Dreieck.
3. Die linke untere Ecke zum Punkt* falten.
4. Die rechte untere Ecke zum Punkt* falten.
5. + 6. Eines der Dreiecke oben nach vorne und eines nach hinten falten.

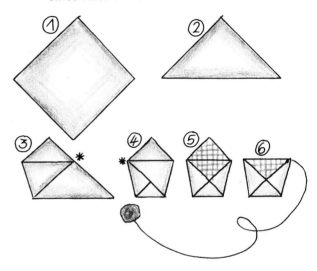

Rolle etwas Alufolie zu einer Kugel oder nimm eine Holzperle. Knote ein Stück Garn daran fest. Das andere Ende befestigst du mit Hilfe einer Nadel am Rand des Bechers.

Jeder Fang mit dem Becher ergibt einen Punkt. Wer von euch ist der Geschickteste?

Schiffchen

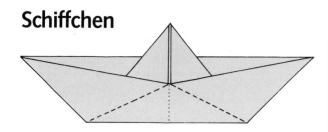

Das Schiffchen kannst du aus dünnem Tonpapier, Zeitungspapier oder Briefpapier basteln. Das Papier wird der Länge nach zur Mitte gefaltet (1). Lege die oberen Ecken zur Mittellinie (2). Die übriggebliebene Kante wird hochgeschlagen, die überstehenden Ecken auf die andere Seite geknickt. Drehe das Dreieck um und falte auch die andere Kante um (3+4). Von unten öffnest du den „Hut", drehst ihn und legst ihn wieder hin, so daß ein Quadrat entsteht (5). Jetzt faltest du die untere Spitze an die obere; umdrehen, und das gleiche auf der anderen Seite wiederholen (6+7). Wieder öffnest du das entstandene Dreieck von unten, drehst es und legst es so hin, daß ein Quadrat entsteht (8).

Nun ziehst du die oberen Spitzen auseinander: Dein Schiff ist fertig! Damit es gut steht und schwimmt, mußt du es unten noch etwas auseinanderziehen.

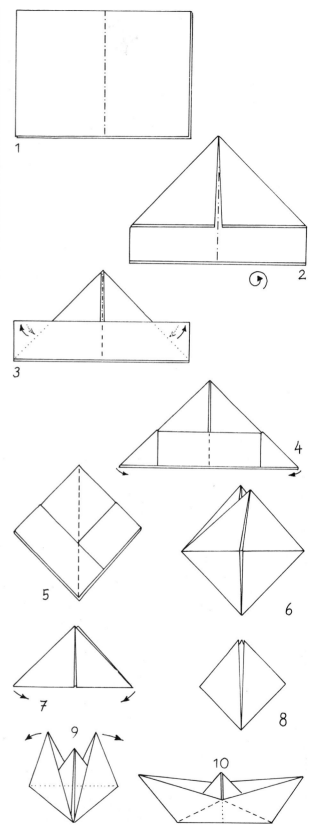

Dampfer

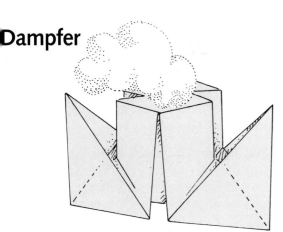

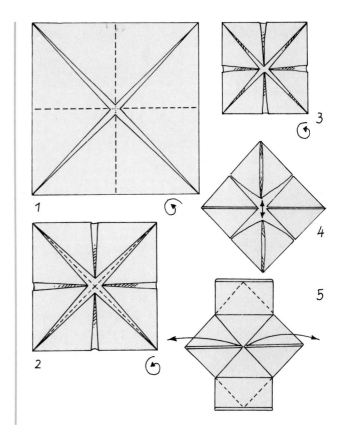

Du brauchst ein Papier, das 15 x 15 cm groß ist, und etwas Watte für den Rauch. Falte es so, wie du es auf den Zeichnungen 1+2 siehst. Das Quadrat wird nochmals umgedreht und wieder werden die Ecken zur Mitte gefaltet (3). Wieder umdrehen. Jetzt kannst du die zwei gegenüberliegenden Vierecke nach außen ziehen, öffnen: Die Schornsteine sind fertig (4+5). Ziehe die inneren Ecken der beiden anderen Vierecke schräg nach außen, und schon steht dein Dampfer!

Papierflieger

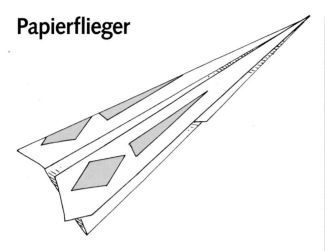

Deltaflieger

Falte einen Bogen Briefpapier der Länge nach einmal in der Mitte (1). An einem Ende werden die beiden Ecken zur Mitte hin gefaltet (2). Diese beiden Dreiecke faltest du wieder zur Mitte hin (3). Das gleiche wiederholst du noch mal (4). Drehe den gefalteten Flieger um. Nachdem du die Mittellinie umbrochen hast, drückst du die Flügel gegeneinander. Jetzt kannst du den Flieger am Rumpf fassen und die Flügel geradestellen.

Schwalbe

– schwierig, aber fliegt sehr gut!

Teile einen Briefbogen in ein Quadrat, schneide den Reststreifen ab (1) und falte ihn der Länge nach.

Das Quadrat knickst du nun jeweils zur Mitte und diagonal (2). Falte daraus eine Dreiecksform, bei der alle Mittelfalten beieinanderliegen (3). Die beiden unteren Spitzen werden zur Mitte oben geknickt (4).

Die Faltvorgänge 5 – 8 ergeben die beiden kleinen Spitzen, die Abb. 9 zeigt. Der Papierstreifen wird an einem Ende zu einer Spitze gefaltet und bis ganz vorne in das Dreieck eingeschoben (9). Dann knickt man vorne die Spitze bis zu den beiden kleinen Spitzen (10) und seitlich die Tragflächen ab (11).

Nun solltest du nur noch die Mittelfalte des langen Teils verstärken und – wenn du magst – den Flieger bunt verzieren (12). Guten Flug!

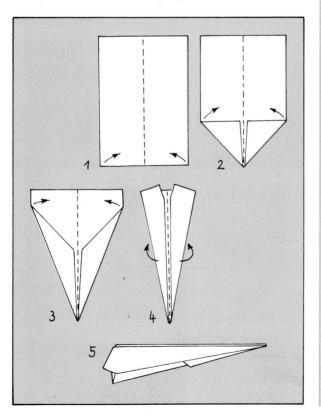

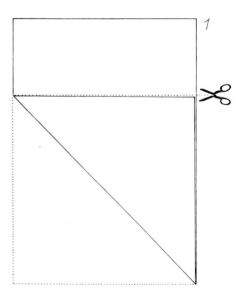

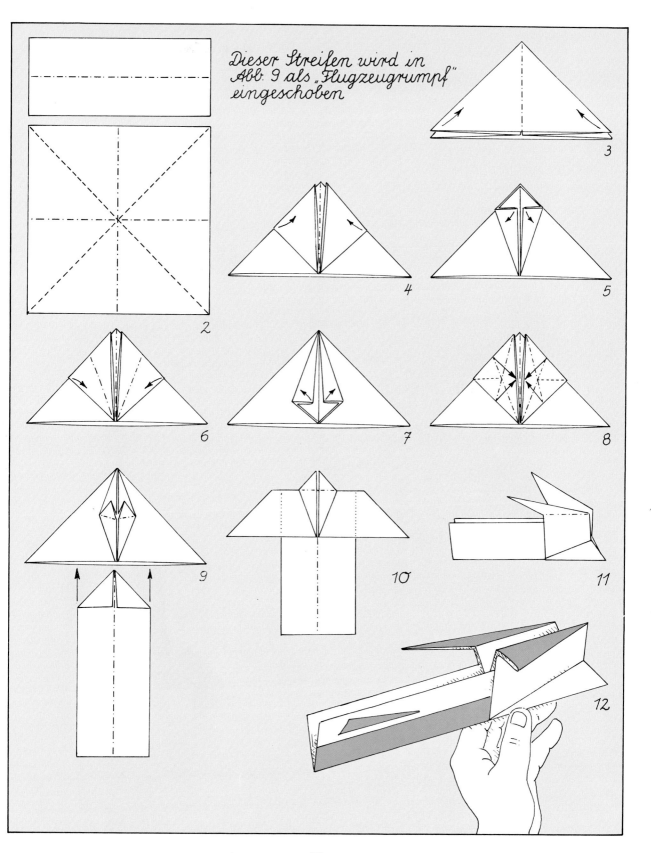

Dieser Streifen wird in
Abb. 9 als „Flugzeugrumpf"
eingeschoben

19

Wir feiern
eine Kinderparty

Vielleicht hast du bald Geburtstag
oder möchtest demnächst mit deinen Freunden
ein Sommerfest feiern…

Überleg mal, was du bis dahin alles brauchst:
eine liebe Einladung für jeden,
tolle Tischkarten oder
bunte Dekorationen für drinnen und draußen,
lustige Hüte oder Pappnasen…

Wenn du bald mit deiner Familie
einen Bastelnachmittag veranstaltest,
ist bis zum Fest bestimmt alles fertig!

Übrigens: Lustige Spielideen findest du
ab Seite 105.

Der Clown lädt ein

Dünner weißer Karton
Butterbrotpapier
Filzstifte oder
Wasserfarben
Schere
farbiges Band

Zu einem fröhlichen Geburtstagsfest gehört natürlich auch eine lustige Einladung. Gefällt dir dieser Clown? Er läßt sich ganz einfach basteln.

Das Schildchen an seinem Hut ist als Antwortkärtchen gedacht. Jeder, der es dir zurückgibt, wird zu deiner Feier kommen.

Nach diesem Muster hier kannst du den Clown abpausen und auf den Karton übertragen. Wie man das macht, wird in der Einleitung (Seite 7) erklärt.

Nun schneide die Figur aus und male Vorder- und Rückseite bunt an. Für die Hose nimmst du am besten eine helle Farbe, damit dein Einladungstext nachher gut zu lesen ist.

Ist der Clown fertig, wird noch das Antwortkärtchen ausgeschnitten, bemalt und beschriftet und mit dem Band am Clownhut befestigt. Magst du dir jetzt ein paar andere Figuren ausdenken?

Puppen-Reigen

Farbiges Papier
Butterbrotpapier
Briefkarten
Schere
UHU-Klebstoff

Mit diesem Puppen-Reigen läßt sich eine andere schöne Einladungskarte basteln. Wenn dir die beiden Muster gefallen, kannst du sie als Vorlage nehmen.

Das farbige Papier für die Püppchen ist 16 cm lang und 7 cm hoch. Falte es dreimal so, wie du es auf den Zeichnungen 1 – 4 (Seite 23) siehst.
Dann pause ein Muster ab, übertrage es auf das gefaltete Papier und schneide es aus.
Vorsichtig wieder auseinanderfalten und auf eine

Briefkarte oder farbiges Papier (in gleicher Größe) kleben.
Nun noch deinen Text daraufschreiben – und schon ist die Einladung fertig!

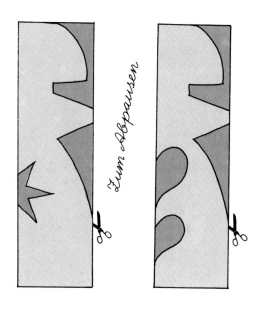

Zum Abpausen

1

16 cm

7 cm

2

3

4

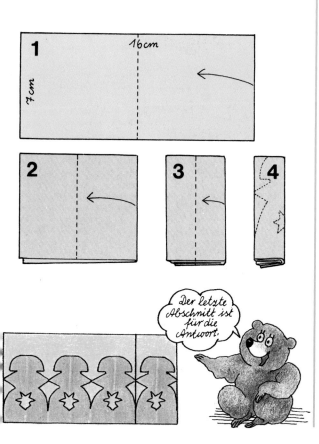

Der letzte Abschnitt ist für die Antwort.

Wer segelt mit?

Farbiges Papier
Schere
UHU-Klebstoff

Ahoi – auf geht's zur Geburtstagsfeier! Über diese hübsche Einladung freut sich sicher jeder. Und sie ist kinderleicht zu basteln.

Schneide aus dem farbigen Papier Quadrate, die 15 x 15 cm, oder für ein größeres Schiffchen 20 x 20 cm, groß sind. Wenn dein Papier nur auf einer Seite bunt ist, klebe zwei Quadrate gegeneinander.

Jetzt faltest du genau nach den Zeichnungen 1 – 7, und schon hast du ein schnittiges Segelschiffchen. Zum Schluß schreibe noch die Einladung darauf und klebe ein Fähnchen für die Antwort an die Segelspitze.

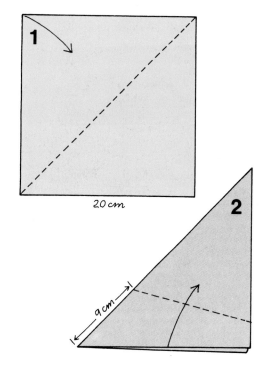

1

20 cm

2

9 cm

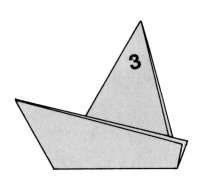

3

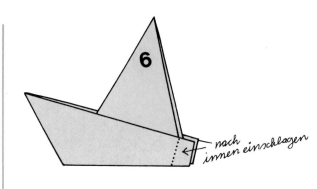

6

nach innen einschlagen

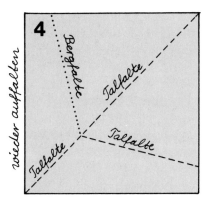

4

wieder auffalten

Bergfalte

Talfalte

Talfalte

Talfalte

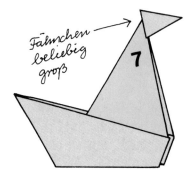

7

Fähnchen beliebig groß

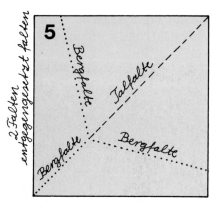

5

2 Falten entgegengesetzt falten

Bergfalte

Talfalte

Bergfalte

Bergfalte

Wenn jeder sein Schiffchen mitbringt, könnt ihr eine Regatta starten!

Segelregatta:
Auf einer glatten Tischplatte wird eine Start- und eine Ziellinie markiert. Alle Schiffchen sammeln sich an der Startlinie. Auf „los!" bläst jeder in sein Segel und versucht so, als erster das Boot über die Ziellinie zu bringen.

Eine lange Einladungskarte

Farbiges dünnes Tonpapier
Filzstifte
Butterbrotpapier
Zirkel oder ein Glas
Schere, UHU-Klebstoff

Du überträgst als erstes den Seelöwen auf graues Tonpapier. Augen, Schnauze und Flossen malst du mit einem schwarzen Filzstift auf.
Für die Bälle faltest du einen Streifen Tonpapier sechsmal im Zickzack.
Nun kannst du alle Kreise mit einem Schnitt (an den Faltseiten etwa 2 cm zusammenhängen lassen) ausschneiden.
Wenn du möchtest, beklebe die Kreise noch mit andersfarbigen Streifen oder bemale sie und schreibe dann deinen Einladungstext darauf.

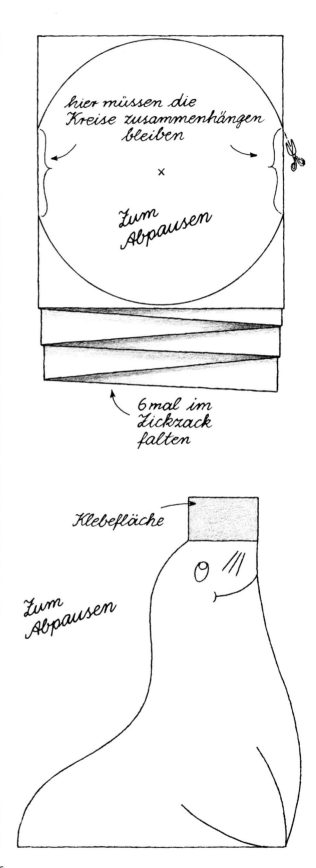

hier müssen die Kreise zusammenhängen bleiben

Zum Abpausen

6 mal im Zickzack falten

Klebefläche

Zum Abpausen

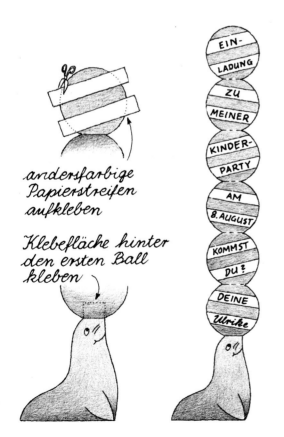

andersfarbige Papierstreifen aufkleben

Klebefläche hinter den ersten Ball kleben

EIN-LADUNG
ZU
MEINER
KINDER-PARTY
AM
8. AUGUST
KOMMST
DU?
DEINE
Ulrike

26

Buchstaben auf der Leine

**Farbiges Papier
feste Pappe
Butterbrotpapier
feste Schnur, Schere
UHU-Klebstoff**

Es wäre toll, wenn du deine Freunde mit solch einer Buchstabenkette empfangen könntest! Suche dir alles schöne Papier zusammen, das du im Haus finden kannst.

Zunächst schneide etliche Papierstreifen zu, die 19 x 7,5 cm groß sind. (Am besten fertigst du dir dazu eine entsprechend große Pappschablone an, um die kannst du mit dem Bleistift herumfahren.) Falte alle zugeschnittenen Streifen einmal in der Mitte, damit du die Buchstaben später über die Leine hängen kannst.

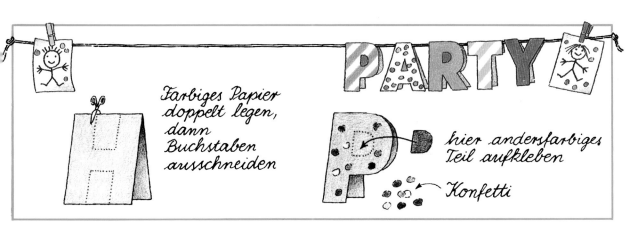

Farbiges Papier doppelt legen, dann Buchstaben ausschneiden

hier andersfarbiges Teil aufkleben

Konfetti

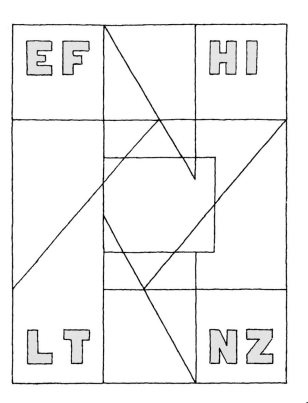

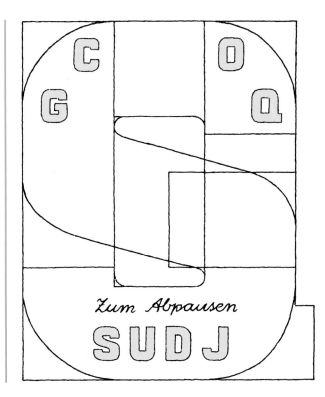

Zum Abpausen

27

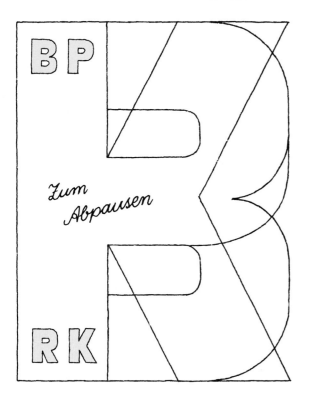

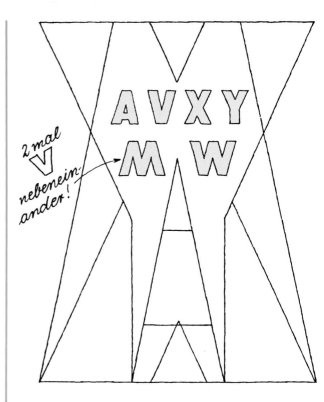

Als nächstes überträgst du die Buchstaben, die du für deine Kette benötigst, von den „Schnittmustern" auf die Papierstreifen. Die Buchstaben, die sich jeweils in einem Schnittmuster verstecken, sind gelb dargestellt. Wenn du ein M oder W brauchst, bereitest du einen 12,5 cm breiten Streifen vor und paust dann zweimal ein V ab.

Wörterspiel

Farbiges Papier
Zeitschriften
Butterbrotpapier
feste Schnur
1 Schuhkarton, Schere
UHU-Klebstoff

Für dieses Spiel benötigst du viele Buchstaben. Die, die du für deine Buchstabenkette schon gebastelt hast, vervollständigst du nun.
Wenn es dir zu lange dauert, all die Buchstaben auszuschneiden, kannst du aber auch folgendes machen: Du schneidest aus Zeitschriften Buchstaben aus und klebst sie auf einmal gefaltete Papierzettel. Die Pappschablone von den Buchstaben gibt dir die Zettelgröße vor. So hast du deine Buchstaben viel schneller gemacht und kannst sie auch über die Leine hängen.

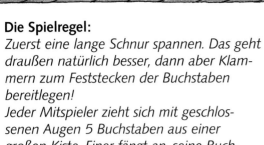

Die Spielregel:

Zuerst eine lange Schnur spannen. Das geht draußen natürlich besser, dann aber Klammern zum Feststecken der Buchstaben bereitlegen!

Jeder Mitspieler zieht sich mit geschlossenen Augen 5 Buchstaben aus einer großen Kiste. Einer fängt an, seine Buchstaben als Wort auf die Leine zu hängen. Der nächste kann nun ein neues Wort hängen oder er verändert das vorherige Wort durch Anfügen von Buchstaben. Wer kein Wort bilden kann, setzt einmal aus. Nach jeder Runde wird ein neuer Buchstabe aus der Kiste gezogen (egal, ob man Buchstaben aufhängen konnte oder aussetzen mußte).

Wer zuerst alle seine Buchstaben auf die Leine hängen konnte, hat gewonnen.

Bevor ihr spielt: Habt ihr genügend A, E, I, O und U's?

Eine Tüte voll Hüte

> Pappteller
> farbige Trinkhalme
> Kreppapier
> Plakafarbe
> Gummifaden
> Klebefilm oder
> Klammerapparat, Schere
> UHU-Klebstoff

Wenn du weißt, wie viele Gäste zu deiner Party kommen, kannst du doch für jeden eine lustige Kopfbedeckung basteln.

Wie das geht, siehst du auf Seite 30.
Für einen Hut brauchst du einen farbigen Pappteller, aus dem du ungefähr ein Viertel heraus-

schneidest. Forme den Pappteller zu einem Kegel und klebe die übereinandergelegten Enden mit Klebefilm zusammen. (Noch besser ist es, wenn du die Enden mit einem Klammerapparat festheftest.) Hast du weiße Pappteller, bemalst du sie außen mit bunten Plakafarben. Diese Farbe haftet gut und ist wasserfest.

Jedem Hut gibst du nun eine andere Verzierung:
Beim Hut mit den drei Strohhalmen werden die Strohhalme einfach am Hut festgeklebt. Über die Klebestelle kommt noch eine gefranste Verzierung aus Kreppapier.
Wie eine farbige Bommel gemacht wird, zeigt die Zeichnung.
Die farbigen Kreppapierbänder werden genauso an einem Ende zusammengeklebt und dann in die Hutspitze gesteckt und verklebt, wie es beim Hut mit der Bommel der Fall ist.
Damit ihr die Hüte nicht verliert, stichst du in jeden Hut zwei Löcher, durch die du einen Gummifaden ziehst.

Pappteller zum Kegel formen

farbige Kreppapierstreifen zusammenlegen

Trinkhalme

Gummi-faden

Dein Trinkhalm blüht!

**Farbiges Papier
Zahnstocher
Trinkhalme
Schere
UHU-Klebstoff**

Ein Geburtstag ohne Blumen – das ist doch nicht schön! Wie wäre es, wenn du sie einmal selber bastelst? Du kannst damit deinen Geburtstagstisch schmücken, und jeder darf am Ende des Festes eine Blume mit nach Hause nehmen.
Für die großen Blütenblätter nimmst du zwei 9×9 cm große Quadrate, für die kleinen zwei 6×6 cm große. Falte das Papier, wie es die Zeichnungen 1–4 zeigen.

Die Rundungen kannst du abpausen (Zeichnungen 5+6) und auf das gefaltete Papier übertragen.

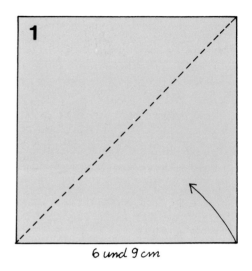

1

6 und 9 cm

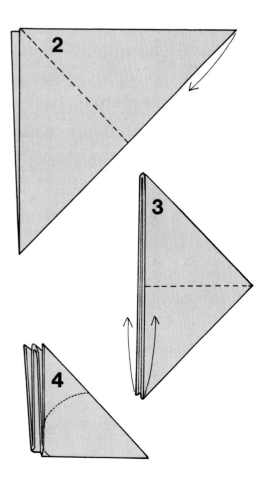

2

3

4

30

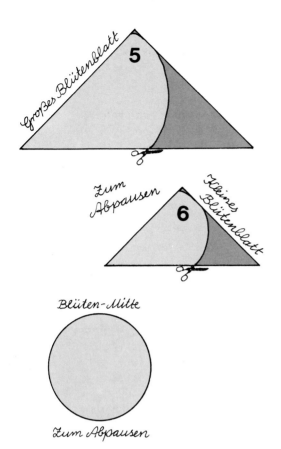

Großes Blütenblatt

5

Zum Abpausen

6

Kleines Blütenblatt

Blüten-Mitte

Zum Abpausen

Sabine

Die Blumen können auch Tischkarten sein!

Danach werden sie abgeschnitten.
Nun wird das kleine Blütenblatt auf das große geklebt und in die Mitte ein großer Farbpunkt gesetzt. Dies machst du für jede Blume zweimal.

Wenn du die beiden Blüten gegeneinanderklebst, lege einen Zahnstocher so dazwischen, daß noch 5 cm davon herausschauen. Deine Blume hat jetzt einen Stiel, den du in den Trinkhalm steckst.

Zahnstocher

Lustige Trinkgesellen

Große weiße Plastikbecher
Eierschachteln aus Pappe
Buntpapier
Gummifaden
Wasserfarben
Schere
UHU-Klebstoff

Diesmal haben deine Geburtstagsbecher Gesichter, deren Nasen man abnehmen und sich aufsetzen kann.
Schneide dazu aus Eierschachteln die einzelnen Mulden heraus. Male sie bunt an und steche zwei

Löcher hinein (Zeichnung 2). Durch diese fädelst du einen 40 cm langen Gummifaden und verknotest ihn (Zeichnung 3).

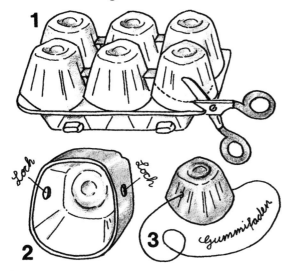

Die fertigen Pappnasen werden nun den Bechern „aufgesetzt". Kannst du dir Gesichter dazu vorstellen? Dann schneide noch Augen und Mund aus dem Buntpapier und klebe sie auf.
Sieht das nicht lustig aus?

Tischkarten zum Aufessen

300 g Mehl
$\frac{1}{2}$ Teelöffel Salz
180 g Butter
200 g Zucker
1 großes Ei
1 Eigelb
Rosinen
Zuckerperlen oder
Haselnüsse

Wenn du weißt, wer zu deinem Geburtstag kommt, kannst du für jeden den Anfangsbuchstaben seines Namens backen. Die hier angegebene Teigmenge reicht für ungefähr 15 Buchstaben, die etwa 10 cm hoch sind.

Butter und Zucker werden schaumiggerührt, dann gib das Ei dazu. Zu dieser Masse kommt löffelweise das gesiebte Mehl und das Salz hinzu. Dann verrühre das Ganze zu einem Teig.
Aus dem Teig machst du nun fingerdicke Würstchen und formst daraus die Buchstaben. Besonders schön sieht es aus, wenn du die Buchstaben noch mit Rosinen, Zuckerperlen oder Haselnüssen garnierst. Dazu mußt du den geformten Teig mit Eigelb bestreichen, bevor die Verzierung darauf gedrückt wird.
Die Buchstaben müssen bei 200 Grad ungefähr 10 Minuten backen.
Wenn du deinen Geburtstagstisch deckst, legst du jedem Kind seinen Buchstaben an seinen Platz.

Lustig ist es auch, wenn du anstatt Tischkarten an jedem Stuhlbein einen Wollfaden in einer anderen Farbe befestigst. Die Fäden reichen bis zur Eingangstür. Jedes Kind, das ankommt, sucht sich einen Faden aus und wickelt ihn auf bis zu seinem Stuhl…

Schlecker-Schnecke

**Farbiges Tonpapier
leere Streichholz-
schachteln
schwarzer Filzstift
Butterbrotpapier
Schere, UHU-Klebstoff**

Für diese lustigen Schlecker-Schnecken brauchst du
nur die Hülsen der leeren Streichholzschachteln.

Eine Öffnung klebst du mit einem Stück Papier zu.
Dann beklebe die Hülse mit dem Streifen für das
Schneckengehäuse, den du von unten abpausen
und auf Tonpapier übertragen kannst.
Zeichne die Windungen vor dem Bekleben mit
Filzstift nach.
Anschließend paust du den Schneckenkörper ab,
überträgst ihn zweimal auf Tonpapier und klebst

beide Teile rechts und links an der Hülse fest.
Achte auf die Markierungspunkte!
Bestreiche ein „Schwanzende" von innen mit Klebstoff und drücke beide Teile zusammen. Dasselbe
machst du mit den Kopfteilen. Die Schnecke muß
die Streichholzschachtel ganz eng umschließen,
dann kann sie nicht wackeln.

Zum Schluß klebst du noch die beiden Fühler an
und füllst das Schneckengehäuse mit bunten
Bonbons oder halbierten Salzstangen.

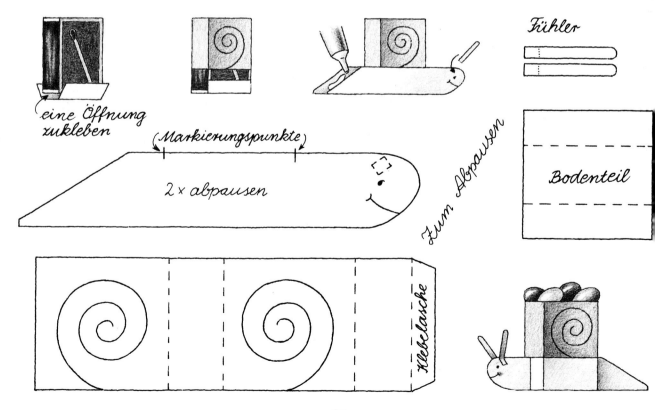

eine Öffnung
zukleben

Fühler

(Markierungspunkte)

2 x abpausen

Zum Abpausen

Bodenteil

Klebelasche

Ein Erinnerungsfoto

**Gelbes, dünnes Tonpapier
Fotoabzüge
selbstklebende Sterne
Wolle, Konfetti
eingepackte Bonbons
Locher, Klebefilm
Schere**

Sicher wird auf deiner Kinderparty auch fotografiert. Wie wäre es, wenn du deine Freunde nach dem Fest mit einem schönen gebastelten Erinnerungsfoto überraschst?
So wird's gemacht: In das Foto lochst du an der Oberseite zwei Löcher, durch die ein bunter Wollfaden gezogen und verknotet wird.

Dann pause das Entchen von unten ab und überträge es auf das Tonpapier.
Schneide so viele Entchen aus, wie Kinder auf dem Foto abgebildet sind.
Du kannst mehrere Entchen auf einmal ausschneiden, wenn du das Tonpapier mehrmals faltest.

Durch die Augenlöcher ziehst du auch einen Wollfaden und verknotest ihn. Das andere Ende des Fadens klebst du jeweils an der Fotorückseite mit Klebefilm fest.

Hänge ein Entchen mal höher, ein anderes mal niedriger auf, das sieht lustiger aus. Auf die Entchen schreibst du die Namen der Kinder, die auf dem Foto zu sehen sind. Du kannst auch noch Bonbons dazuhängen.
Diese Party-Überraschung hängt sich sicher jeder gern als Erinnerung in sein Zimmer!

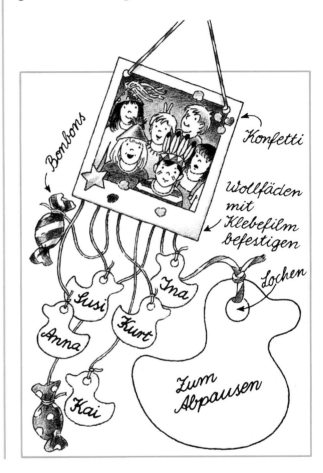

Ich mach mich schön!

Kinderschmuck zum Selberbasteln

Unglaublich, was in deiner eigenen
Schmuckwerkstatt alles entsteht:
Ketten und Armbänder aus Korken,
bunten Knoten und Perlen aller Art,
Zopfkugeln für dein langes Haar
oder poppige Ohrringe mit den
verschiedensten Anhängern…
Zum großen Gartenfest kannst du dich
mit einer Korallenkette, einem Blütenkranz
oder einer Blätterkrone schmücken.
Und auf Seite 53 findest du noch einen
bunten Schmetterling zum Anstecken.

Erst sammeln, dann fädeln

Ahornfrüchte
Hagebutten
verschiedene Obstkerne
Sonnenblumenkerne
kleine, dünne Aststücke
Sternzwirn
Perlgarn
Wasserfarben, Klarlack

Schmuck – das muß nicht immer Gold und Silber sein! Wenn du mit offenen Augen durch die Natur gehst, wirst du so manches finden, woraus du dir wunderschöne Ketten und Armbänder machen kannst.

Zum Beispiel aus **Ahornfrüchten.** Im Herbst fallen sie vom Baum herunter und wirbeln dabei wie Propeller. Jede Frucht besteht aus zwei zusammengewachsenen „Flügelchen". Für deine Kette brauchst du sie einzeln, brich also die Frucht in zwei Teile. Dann fädelst du ein Flügelchen nach dem anderen so auf, daß alle in eine Richtung zeigen. Dabei stichst du durch das dicke Ende der Frucht (Zeichnung unten). Wenn deine Kette lang genug ist, verknote die Enden fest miteinander.

Aus **Hagebutten** enstehen wunderschöne „Perlenketten". Hagebutten sind die Früchte der Heckenrose. Sammle sie Ende des Sommers, solange sie noch frisch und weich sind. Beim Auffädeln ziehst du den Zwirnsfaden unterhalb der Fruchtblätter durch (Zeichnung unten). Ist die Kette lang genug, werden die Fadenenden miteinander verknotet.

Wenn du das nächste Mal Obst ißt, hebe die **Obstkerne** auf: Apfel-, Orangen-, Melonen-, aber auch Gurken- oder Kürbiskerne lassen sich gut zu Ketten auffädeln (Zeichnung unten). Auch die gestreiften **Sonnenblumenkerne** sehen hübsch aus. Lege sie vor dem Auffädeln in warmes Wasser, damit sie weich werden.

Eine **kleine Korallenkette** entsteht aus dünnen Aststückchen, die rot angemalt werden. Wenn die Farbe trocken ist, überpinsle sie mit Klarlack und laß diesen ebenfalls gut trocknen. Dann wird mit Perlgarn Ästchen neben Ästchen geknotet (Zeichnung unten). Ist die Kette lang genug, werden die Fadenenden miteinander verknotet.

Korken-Kette

Mehrere Korken
Wasserfarben, Klarlack
dünnes farbiges
Lederband
Perlgarn oder Sternzwirn
Stopfnadel, spitze Schere

Mit Korken kann man prima basteln, und für unseren selbstgemachten Schmuck können wir sie jetzt auch gut gebrauchen.

Zuerst müssen die Korken in viele dünne Scheiben geschnitten werden. Das geht am besten mit einem scharfen Sägemesser. (Laß dir dabei helfen!) Wenn du die Scheiben bunt anmalst, solltest du sie danach mit Klarlack bepinseln, damit die Farbe hält.

Nun werden die Scheiben zur Kette aufgefädelt: Entweder mit einer dicken Stopfnadel einen Faden durchziehen oder mit einer spitzen Schere vorsichtig ein Loch in die Scheibenmitte bohren und ein dünnes Lederband hindurchfädeln. Die Faden- oder Lederbandenden mußt du gut verknoten.

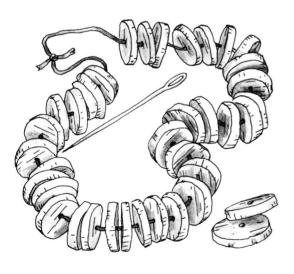

Perle an Perle

Holz- oder Glasperlen
in verschiedenen Farben
und Größen
Geschenkband
Gummifaden, Nähgarn

Natürlich gehören auch richtige **Perlenketten** in unsere Schmucksammlung. Wenn du erst einmal weißt, wie man Anfang und Ende der Kette macht und wie die Perlen aufgefädelt werden, dann kannst du selber andere Perlenmuster ausprobieren. Auf der nächsten Seite findest du vier verschiedene Muster zum Nachmachen.

Nimm ein langes Stück Gummifaden und fädle die ersten Perlen bis zur Mitte dieses Fadens auf (Zeichnung 1).

Dann werden beide Fadenenden gemeinsam durch eine Perle gezogen. Dadurch entsteht die erste Perlenschlinge (Zeichnung 2). Genauso wie diese müssen alle folgenden Perlenschlingen aussehen (Zeichnung auf der nächsten Seite).

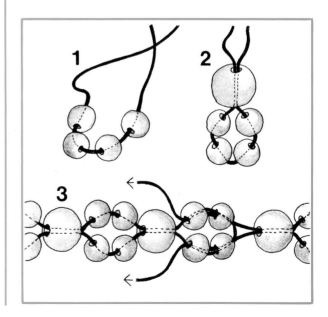

Achte also darauf, daß du die richtige Reihenfolge der einzelnen Perlengrößen und -farben einhältst. Wenn die Kette lang genug ist, ziehst du die beiden Fadenenden durch die letzten Perlen der ersten Perlenschlinge (Zeichnung 3 auf der vorhergehenden Seite). Verknote die Enden fest miteinander. Magst du nun noch die anderen Muster ausprobieren?

Ein Band und bunte Perlen – das gibt ein schönes **Perlenarmband.**

Das Geschenkband muß so lang sein, daß du es mit einer Schleife um dein Handgelenk binden kannst. Markiere mit zwei Stecknadeln das Stück, das du mit Perlen besticken willst. Die beiden Enden, die zur Schleife gebunden werden, bleiben frei (Zeichnung 1). Wenn du ein Muster machen möchtest, zeichne dir dieses dünn mit Kugelschreiber auf dem Band vor (Zeichnung 2). Dann werden die Perlen aufgenäht (Zeichnung 3). Zum Schluß den Faden gut vernähen.

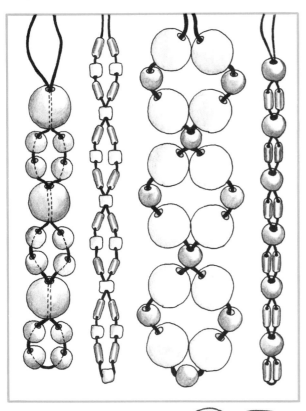

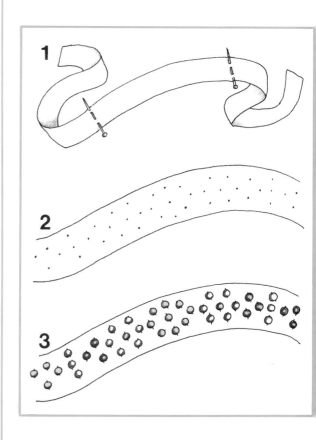

Wie gefällt Dir meine Kette?

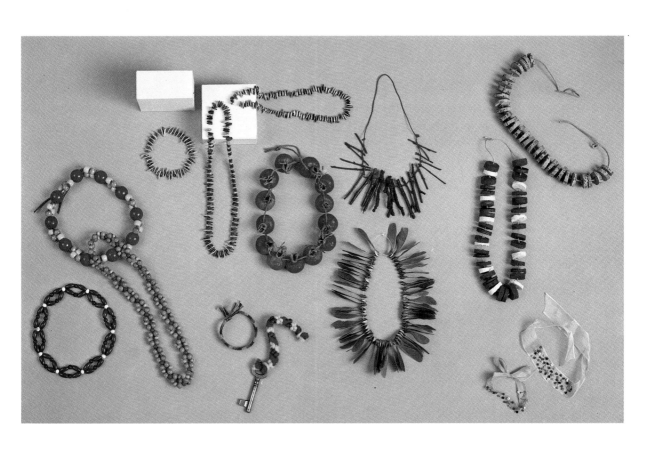

Bunte Knoten

**Baumwollgarn und
dicke Wolle in
verschiedenen Farben
1 Sicherheitsnadel**

Du brauchst zum Knoten mindestens 3 Fäden.
Aus dicker Wolle kannst du zum Beispiel ein
schönes Schlüsselband knoten. Die 3 Fäden
müssen dazu etwa 70 cm lang sein. Mach damit
nach etwa 5 cm einen Knoten. Diesen steckst du
mit einer Sicherheitsnadel irgendwo fest.
Beim nun folgenden Knoten mußt du auf 4 Dinge
achten: 1. immer die richtige Reihenfolge der
Fäden und Farben einhalten; 2. immer mit dem
linken Faden beginnen und mit ihm alle übrigen
Fäden der Reihe nach zweimal umschlingen;
3. immer dieselben Schlingen machen und
4. immer den Faden straff gespannt halten, um
den du die Schlinge machst.

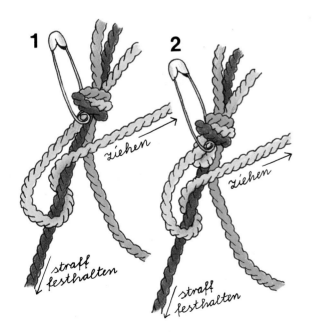

1 ziehen

straff festhalten

2 ziehen

straff festhalten

Auf diesen Zeichnungen (1 und 2) siehst du, wie
geknotet wird: Den mittleren (roten) Faden in die

linke Hand nehmen und straff anziehen. Mit dem
gelben Faden eine Schlinge **darüber**legen, das
Fadenende **von hinten** durchziehen und die
Schlinge fest nach oben anziehen. Nun genau
dasselbe noch einmal wiederholen.

Der rote Faden ist nun umschlungen, jetzt kommt
der grüne an die Reihe: In die linke Hand nehmen
und straff gespannt halten. Wieder mit dem
gelben Faden eine Schlinge darüberlegen, das
Fadenende von hinten durchziehen, fest nach
oben anziehen und dasselbe wiederholen.
Nun liegt der rote Faden links außen, und mit ihm
werden der Reihe nach der grüne und der gelbe
umschlungen. Dann liegt der grüne Faden links
außen und umschlingt den gelben und den roten
und immer so fort, bis dein Band lang genug ist.
Zum Schluß machst du mit den Fadenenden
einen Knoten.
Auf dieselbe Weise kannst du mit beliebig vielen
Fäden knoten. Je mehr Fäden du nimmst, desto
länger müssen diese sein.

Blütenkranz

**Gänseblümchen
Margeriten oder andere
Wiesenblumen**

Einen Blütenkranz auf dem Kopf, einen Ring aus
Margeriten oder Gänseblümchen am Finger – so
kannst du dich auf der Wiese schmücken…

Für den **Blütenkranz** brauchst du einige Blumen.
Brich sie nicht zu kurz ab, damit du sie gut
zusammenschlingen kannst. Wie das geht, siehst
du auf der Zeichnung nebenan. Vergiß beim
Flechten nicht, zwischendurch Maß zu nehmen.

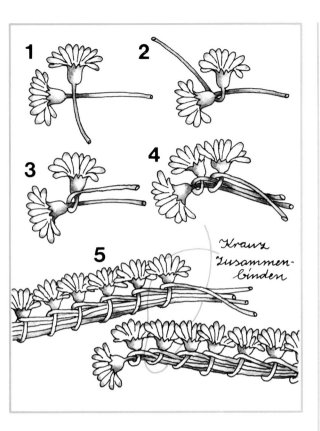

Der **Blüten-Fingerring** ist ganz einfach: Mit einem dünnen Ästchen wird von oben nach unten in das gelbe Körbchen einer Margerite gestochen. Durch dieses Loch wird nun der Stiel gesteckt, der Ring über einen Finger gestreift und mit dem Stielende fest angezogen. Zum Schluß noch den restlichen Stiel abknipsen – fertig ist der Fingerring.

Aus Efeu- oder Weinblättern kannst du dir wunderbare **Blätterkronen** machen.
Die Blätter werden zur Hälfte übereinandergelegt und dort mit sehr dünnen Ästchen zusammengesteckt (Zeichnung oben).
Wer ist der schönste „Weinkönig"?

Sie halten die Zöpfe…

Eine kleine Menge Ton oder Plastika
Zahnstocher
Wasserfarben, Klarlack
Hutgummifaden

…deine selbstgemachten Zopfkugeln.

Aus Ton oder Plastika formst du dir zuerst zwei oder vier gleich große Kugeln, je nachdem, ob du einen oder zwei Zöpfe trägst. Mit einem Zahnstocher wird durch jede Kugel ein Loch gebohrt

(Zeichnung 1). Das Loch muß so groß sein, daß der Gummifaden nachher gut hindurchpaßt. Die Kugeln müssen nun erst einmal trocknen.

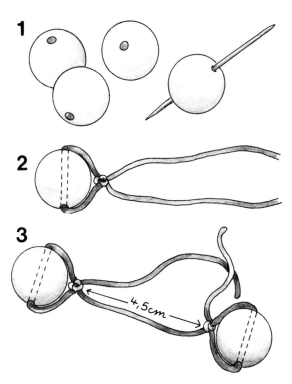

Dann werden sie bemalt und, wenn die Farbe trocken ist, mit Klarlack bepinselt.

Für einen Zopfhalter brauchst du ein 25 cm langes Stück Gummifaden. Auf die Mitte des Fadens wird eine Kugel gefädelt und mit einem Knoten festgehalten (Zeichnung 2). Dann fädelst du die zweite Kugel auf und knotest sie im Abstand von etwa 4,5 cm fest (Zeichnung 3). Zum Schluß werden die beiden Gummibandenden miteinander verknüpft.

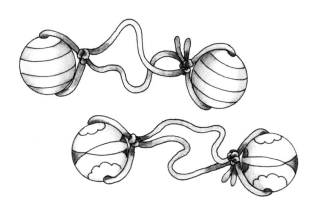

Ohrringe

> Silberdraht (mittlere Stärke)
> alte Schere

Um diese Ohrringe zu tragen, brauchst du kein Loch im Ohrläppchen: Sie halten nämlich wie Ohrclips! Du mußt nur darauf achten, daß die schmückenden Anhänger nicht zu schwer sind.

Schneide vom Silberdraht ein etwa 10 cm langes Stück ab. Zuerst wird das eine Ende zu einer Schnecke aufgedreht und dann, im Abstand von etwa 3 cm, das zweite Ende genauso (Zeichnung 1). Die beiden Drahtschnecken werden gegeneinandergedrückt (Zeichnung 2).

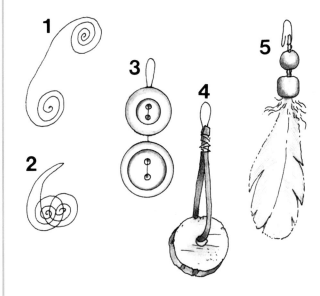

Der Clip ist nun fertig, es fehlen nur noch die Anhänger: Knöpfe, eine dünne Korkenscheibe (dann paßt der Ohrring zu deiner Korken-Kette), Metallfolien, Federn (Zeichnungen 3 – 6), bunte Plastikfolien (von Tragetaschen), Büroklammern, Papierperlen – das ist noch lange nicht alles, was du an dein Ohr hängen kannst.

Befestige die Anhänger mit Silberdraht am Ohrclip (Zeichnung 7).

Für die **Papierperlen** rollst du einen etwa 8 cm langen Papierkeil über einen Zahnstocher (Zeichnung 8). Klebe das Ende fest und bepinsle die „Perle" mit Klarlack.

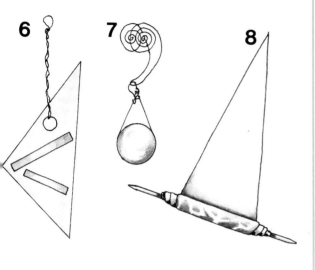

Verkleidete Fläschchen

| Kleine Parfüm-Probe-flaschen |
| bunte Filzreste |
| Stickgarn |
| UHU-Klebstoff |

Sicher hast du auch schon einmal ein Parfüm-Probefläschchen geschenkt bekommen. Wenn du dazu ein kleines Beutelchen nähst, kannst du dir „deinen Duft um den Hals hängen"…

Schneide vom Filz ein etwa 7 x 5 cm großes Stück ab. Dieses wird einmal in der Mitte gefaltet und an drei Seiten mit überwendlichen Stichen

umnäht, so daß daraus ein Beutelchen entsteht (Zeichnungen 1–3).

Das Beutelchen wird mit bunten Mustern aus Filz beklebt. Durch die offene Seite fädelst du in Auf- und Abstichen einen langen doppelten Faden (Zeichnung 4). Jetzt kannst du das Beutelchen zuziehen und umhängen.

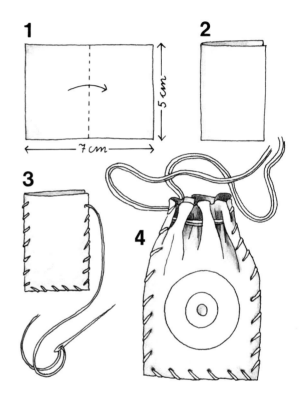

45

Bunte Osterbasteleien

Bald ist Ostern, und weißt du was:
Diesmal spielst du Osterhase!
Mit selbstgebastelten Sachen wirst du alle
überraschen:
Für Mutti und Vati gibt es zum Osterfrühstück
eine kleine Wiese voll mit Ostereiertieren,
deine Geschwister freuen sich bestimmt
über die blühenden Eier,
Oma und Opa schickst du ein Zauber-Ei
als Ostergruß, und
dein bester Freund bekommt einen Osterhasen.

Hasenversteck und Blumenkarte

Briefkarte
Butterbrotpapier
dünner weißer Karton
Schere, UHU-Klebstoff

In dieser Karte hat sich ein Hase versteckt. Wenn man sie aufklappt, kommt er hervor. Solch eine lustige Klappkarte läßt sich leicht selber basteln.

Nach dem Muster von nebenan kannst du das Häschen abpausen und auf den Karton übertragen. Bevor du es ausschneidest, male es noch bunt an.
Wie man die Figur faltet, siehst du auf der Zeichnung 1.
Falte die Briefkarte in der Mitte und schreibe deinen Ostergruß hinein. Das Häschen wird in den Falz der Briefkarte geklebt (Zeichnung 2).
Zum Schluß kannst du auch noch etwas Gras und bunte Blumen dazumalen.

1

2

Wer sitzt denn da im grünen Gras,
mit bunten Farben, wer ist denn das?
Er malt die Eier blau, gelb, rot.
Für's Frühstück und für's Abendbrot.
Hat eine runde Knubbelnase.
Ich glaub, das ist der…

…der Bastelhase!

Magst du dieselbe Karte mit einer Blume basteln? Dann kannst du das Muster abpausen und nach den Zeichnungen 3 und 4 einkleben.

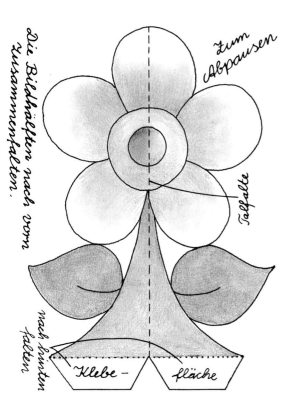

Die Bildhälften nach vorn zusammenfalten.

Zum Abpausen

Talfalte

nach hinten falten

Klebe – fläche

Zauber-Ei

Dünner weißer Karton
Butterbrotpapier
Filzstifte oder
Wasserfarben
Schere, UHU-Klebstoff

Wer diese Karte bekommt, kann sich seinen Ostergruß herbeizaubern. Am Ei gezogen – simsalabim – da ist er!

Eierbecher und Ei nach dem Muster von der nächsten Seite abpausen und auf den Karton übertragen. Wenn du beides ausgeschnitten hast, wird der Eierbecher bunt angemalt. Auf das Ei schreibst du deinen Ostergruß. Falte den Eierbecher und schneide in die eine Hälfte einen Schlitz (Zeichnung 1).

Stecke das Ei in den Schlitz (Zeichnung 2) und klebe den Eierbecher sorgfältig zusammen. Nun kann das Ei durch den Schlitz herausgezogen werden. Na, wie gefällt dir dieser Zaubertrick?

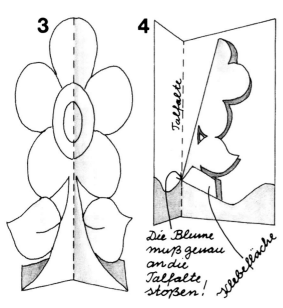

3

4

Talfalte

Die Blume muß genau an die Talfalte stoßen!

klebefläche

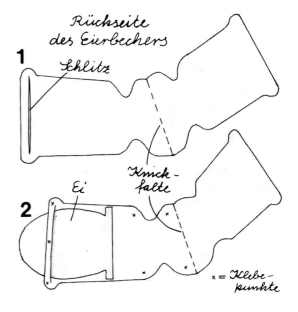

Rückseite des Eierbechers

1 *Schlitz*

Knick-falte

Ei

2

x = Klebe-punkte

49

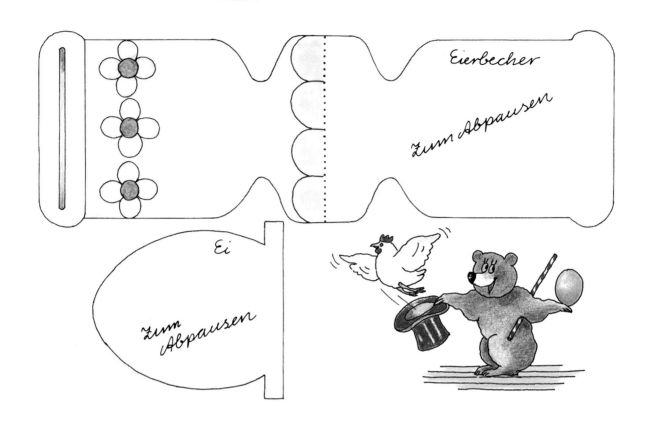

Eierbecher

Zum Abpausen

Ei

Zum Abpausen

Eine kleine Wiese

> Flacher Teller oder
> Schale
> Watte
> 1 Tütchen Kresse-Samen

Jetzt kommt eine ganz besonders schöne Oster-überraschung. Du kannst sie verschenken oder auf den Ostertisch stellen.

Diese kleine Wiese zum Aufessen kannst du selbst zum Wachsen bringen. Du mußt nur früh genug den Samen aussäen. Am besten 5 – 7 Tage vor Ostern.
Nimm einen großen flachen Teller oder eine flache Schale. Bedecke den Boden dicht mit einer dünnen Schicht Watte, die du gut mit Wasser tränkst. Nun werden die Kresse-Samen darauf gestreut. Die Samenkörner sollten nicht übereinanderliegen. Gieße die Watte jeden Tag, damit sie immer schön feucht bleibt. Schon nach 3 Tagen siehst du die ersten Pflänzchen und nach 7 Tagen ist die „Wiese" fertig. Wer in der Wiese lebt, siehst du nebenan.

WASSER

SAMEN-KRESSE

WATTE

Ostereier-Tiere

Hartgekochte Eier
farbiges Papier
Butterbrotpapier
Filzstifte oder
Wasserfarben
Schere, UHU-Klebstoff

Auf der Osterwiese tummeln sich lauter bunte Ostertiere. Schau mal genau hin, jedes Tier ist eigentlich ein hartgekochtes Ei…

Biene:
Bemale das Ei rundherum mit braunen und gelben Streifen. Für den Kopf malst du die schmale Seite vom Ei schwarz an und setzt darauf mit Deckweiß die großen Augen der Biene. Auf dem Foto kannst du das genau sehen.

Pause die Form der Flügel ab und übertrage sie auf ein helles Papier, das einmal gefaltet ist (Zeichnung 1). Ausschneiden und so auf das Ei kleben, wie du es auf der Zeichnung 2 siehst. Zum Schluß noch zwei kleine schwarze Papierstreifen als Fühler ankleben.

Marienkäfer:
Male zuerst das ganze Ei rot an. Dann werden die Flügelumrisse, die Punkte und der Kopf mit Schwarz darübergemalt. Als Fühler schneidest du wieder zwei kleine schwarze Papierschnipsel zurecht und klebst sie an den Kopf.

Vogel:
Auch der Vogel ist ganz einfach zu basteln. Wieder bemalst du das Ei einfarbig. Dann werden der Schwanz, 2 Flügel und der Schnabel abgepaust, auf buntes Papierr übertragen und ausgeschnitten. Für den Schnabel nimmst du am besten Gelb. Falte ihn in der Mitte (Zeichnungen 3 – 5).

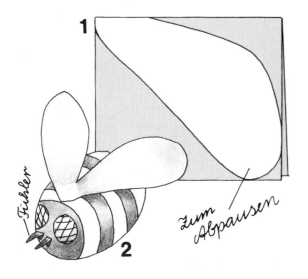

1

2

Fühler

Zum Abpausen

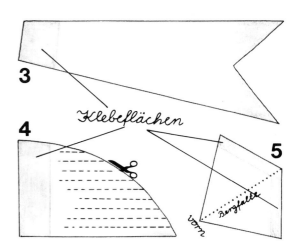

3

4

Klebeflächen

5

vorn

Bergfalte

Klebe nun alle Teile an und male dem Piep-Matz noch zwei Augen auf (Zeichnung 6).

6

Hase:

Das Ei wird einfarbig braun bemalt. Dann werden die Ohren und die Füße abgepaust, auf braunes Papier übertragen und ausgeschnitten (Zeichnung 7). Klebe die Ohren an die schmale Seite vom Ei. Für die Barthaare kannst du ganz dünne Papierstreifen oder ein paar Besenhaare ankleben. Die Augen werden wieder aufgemalt. Nun noch ein bißchen weiße Watte als Schwänzchen ankleben und fertig ist der „Meister Lampe".

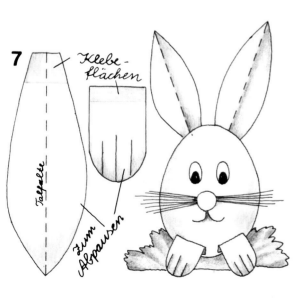

7 Klebe-flächen

Talpaar

zum Abpausen

Bunte Schmetterlinge

Farbiges Papier
Butterbrotpapier
Schere, UHU-Klebstoff
Sicherheitsnadeln
Klebefilm

Magst du Schmetterlinge auch so gerne? Dann bastle dir doch einmal selber welche. Du kannst sie auch in die Kresse-Wiese legen oder auf Blumen stecken, den Tisch damit schmücken oder als Anstecker verschenken. Wie's gemacht wird, siehst du hier.

Das farbige Papier sollte etwa 9 cm lang und 7,5 cm breit sein. Falte es in der Mitte einmal. Die Schmetterlingsformen kannst du nach den Mustern abpausen und auf das Papier übertragen (Zeichnungen 1 und 2). Hast du die Figur ausgeschnitten, klebe farbige Punkte auf die Flügel.

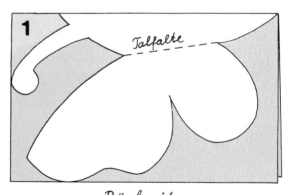

1 Talfalte

Rückseiten

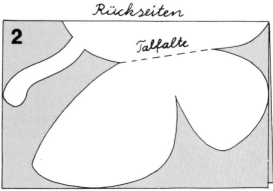

2 Talfalte

Auf dem bunten Bild kannst du genau sehen, wie der Schmetterling gefaltet wird.

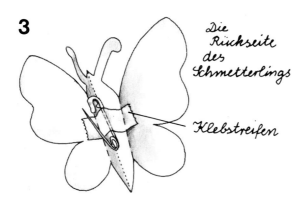

3

Die Rückseite des Schmetterlings

Klebstreifen

Hier siehst du, wie aus deinem Papier-Falter ein hübscher Anstecker wird. Zuerst bastelst du den Schmetterling ganz fertig. Dann klebst du auf seiner Rückseite eine kleine Sicherheitsnadel mit einem Stück Klebefilm fest (Zeichnung 3).
Fertig ist eine schöne Brosche.

Blühende Eier

Eierschale vom Frühstücksei
stabiler weißer Karton
Filzstifte oder
Wasserfarben
Schere, UHU-Klebstoff

Hast du schon einmal Eier gesehen, die blühen? Nein? Dann will ich dir welche zeigen.

Hebe vom Frühstücksei die leergegessenen Eierschalen auf, denn die brauchst du zum Basteln. Aus dem Karton schneidest du etwa 13 cm lange und 2 cm breite Streifen. Eierschalen und Streifen werden mit bunten Mustern bemalt.
Ist die Farbe angetrocknet, klebst du jeden Streifen zu einem Ring zusammen (Zeichnung 1). Dieser muß so groß sein, daß das Ei gerade darauf stehen kann (Zeichnung 2). Pflücke kleine Blumen und stecke in jedes Ei ein Sträußchen. Vergiß das Wasser nicht! Am Ostermorgen kannst du jedem ein blühendes Ei an seinen Platz stellen.

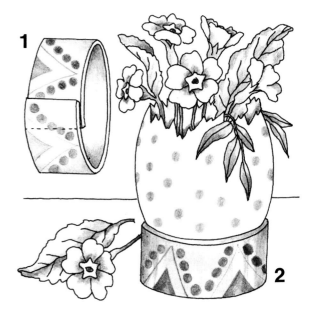

1

2

Osterhase

**1 leere Streichholz-
schachtel, Butterbrot-
papier zum Abpausen
braunes Tonpapier
Strohhalme
Schere, UHU-Klebstoff**

Die Hasenfigur kannst du von unten abpausen.
Übertrage sie auf Tonpapier und schneide sie aus.

Umklebe die Streichholzschachtel mit demselben
Tonpapier und entferne bei der Innenschachtel
eine schmale Seitenwand (Zeichnung 1).

Dann klebe die Schachtel auf die Hasenfigur. Male
dem Hasen noch ein Gesicht auf, klebe aus Besen-
haaren einen Bart und aus Watte den Schwanz an.

Damit die Schachtel wie ein richtiger Korb aus-
sieht, klebe Strohhalme auf (Zeichnung 2). Zuletzt
klappe die Arme und Füße nach vorne und fülle
den Korb mit kleinen bunten Eiern und etwas
Ostergras.

1 Seitenwand abschneiden
und Innenschachtel
einschieben

2

Strohhalme ⸺

Watte
als Schwanz

Zum
Abpausen

Im Felde sitzt ein Häschen
und glaubt sich gut versteckt.
Streicht munter sich das Näschen,
weil ihm der Klee gut schmeckt.
Er kann auch aufrecht sitzen,
der kleine muntre Has,
und seine Ohren spitzen
im frischen grünen Gras.

Selbstgemacht und mitgebracht

Kleine Geschenke hübsch verpackt

Was, du bist zum Kinderfest eingeladen
und hast noch kein Mitbringsel?
Da kann der Bastelbär helfen:
In diesem Kapitel verrät er dir 20 Ideen
für kleine und große Geschenke.

Doch nicht nur für's Kinderfest, auch für
den Muttertag, Opas Geburtstag oder für die
Tante, die so gerne verreist, ist etwas dabei.

Bunte Eierwärmer

Bunter Filz
Butterbrotpapier
Stecknadeln
Schere, UHU-Klebstoff

1

Kleberand

2

Denke dir noch andere schöne Ornamente aus.

Es muß nicht Ostern sein, um mit einem geschmückten Frühstückstisch die Eltern zu überraschen. Diese bunten Eierwärmer sehen nicht nur hübsch aus, sie halten auch prima die Frühstückseier warm. Unten siehst du die Pausvorlage.

Das Butterbrotpapier entlang den Pauslinien ausschneiden und auf dem Filz feststecken. Die Form aus dem Filz schneiden. Sie darf nicht kleiner werden als die Vorlage, sonst passen die Eier nicht darunter. Für einen Eierwärmer brauchst du zwei ausgeschnittene Stücke (Zeichnung 1). Bestreiche die Ränder mit Klebstoff und drücke sie fest zusammen. Zum Schluß klebst du noch Kreise,

Blumen oder andere Formen aus buntem Filz auf (Zeichnung 2).

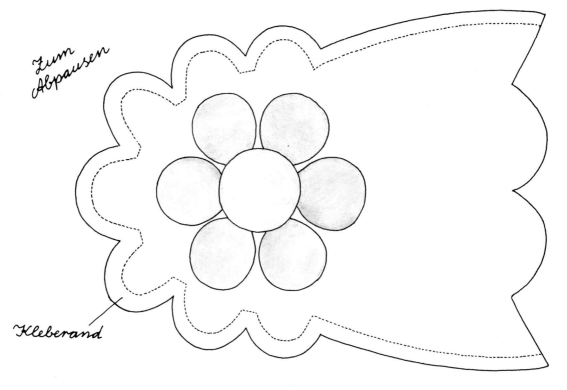

Zum Abpausen

Kleberand

Unter solch einem schönen Eierwärmer fühlt sich sicher jedes Ei wohl…!

Für kleine Schätze

Stoffreste
Stickgarn oder
Geschenkband
1 Unterteller
Schere und Nadel
Sicherheitsnadel

Sammelst du bunte Perlen, Murmeln, schöne Steine, Schneckenhäuser oder Muscheln? In selbstgenähten Stoffsäckchen kannst du diese kleinen Schätze verschenken. Wie die Säckchen gemacht werden, siehst du nebenan.

Nimm einen Unterteller, lege ihn auf deinen Stoff und schneide ihn am Rand entlang aus (Zeichnung 1). Am besten nimmst du eine Zickzackschere, dann franst der Stoff nicht aus.

Ziehe ein etwa 50 cm langes Stück Stickgarn mit der Nadel in großen Aufundabstichen durch den Stoff, etwa 3 cm vom Rand entfernt (Zeichnung 2). Wenn du lieber ein Geschenkband zum Zuziehen möchtest, mußt du mit der Schere kleine Löcher in den Stoff schneiden. Mit einer Sicherheitsnadel wird das Band durchgefädelt (Zeichnung 3). Jetzt läßt sich dein Säckchen zuziehen und mit einer Schleife fest verschließen.

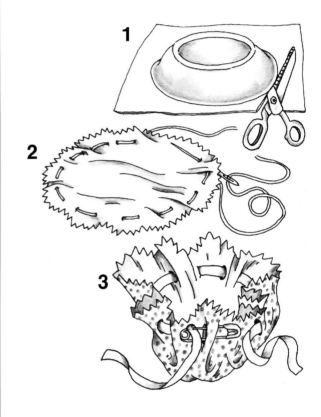

Noch ein schönes Geschenk:
Bemale einen runden Stein mit bunten Mustern und lege ihn in das Säckchen. Es ist ein „Glücksstein" für jemand, den du besonders gerne hast.

Häkeltäschchen

Bunte Wollreste
Häkelnadel, Stecknadeln
1 Knopf
Schere und Stopfnadel

Ein praktisches Geschenk: In diese kleine Tasche kann man die Busfahrkarte, die Hausschlüssel oder das Taschengeld stecken. Unten siehst du, wie sie gehäkelt wird.

Du schlägst die erste Masche an (Zeichnung 1) und machst 20 Luftmaschen (Zeichnung 2). Dann wird mit festen Maschen zurückgehäkelt (Zeichnung 3). Die Arbeit wenden und immer so weiter, bis das Stück 30 cm lang ist.

Wenn das Täschchen verschiedenfarbige Streifen haben soll, beginne mit einer neuen Farbe immer am Anfang einer Reihe. Die bunten Fäden ziehst du am Schluß mit einer Stopfnadel durch das fertige Häkelstück. Lege das Stück nun so übereinander, wie du es auf der Zeichnung 4 siehst, und stecke die aufeinanderliegenden Teile zusammen.

1

2

3

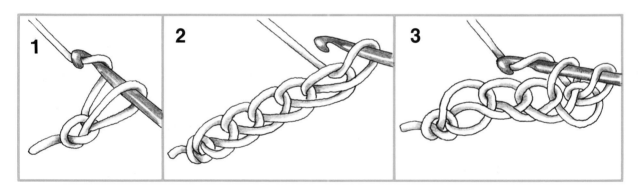

4

12 cm

diesen Rand umhäkeln

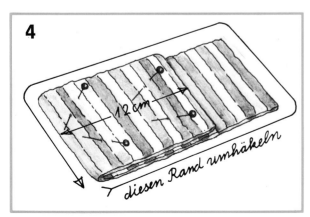

5

Fadenenden vernähen

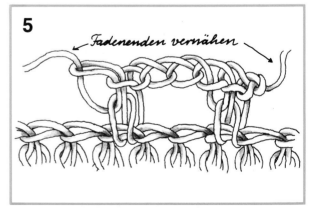

Dann wird alles mit festen Maschen umhäkelt. Das sieht schön aus und ist stabiler, als wenn du die Teile zusammennähst.

Damit sich die Klappe des Täschchens verschließen läßt, wird noch eine Schlaufe aus Luftmaschen angehäkelt (Zeichnung 5) und ein Knopf auf die Tasche genäht.

Für den Henkel schlägst du nochmals Luftmaschen an. Die Länge kannst du selbst bestimmen. Eine Reihe feste Maschen darüberhäkeln und das Band an die Tasche nähen (Zeichnung 6).

6

hier annähen

hier annähen

Für alle Fälle…

Fester weißer Karton
Butterbrotpapier zum Abpausen
Zeitungspapier
Wasserfarben
Teesieb aus Metall
alte Zahnbürste
Schere, UHU-Klebstoff

Das wird ein prima Geschenk für Reiselustige, denn in diesem Mäppchen stecken wichtige kleine Dinge für unterwegs.

Pause das Muster von nebenan ab und übertrage es auf Karton, den du vorher in der Mitte gefaltet hast. Dann wird die Mappe ausgeschnitten.

zum Abpausen

Faltlinie

Achtung! Nur bei einer Seite die Lasche abschneiden und diese Linien einschneiden

Klebfläche

Faltlinie

Klebfläche

Faltlinie

Faltlinie

nicht durchschneiden!

Nun geht es ans Verzieren: Lege das Mäppchen so auf Zeitungspapier, daß der Mittelknick als Bergfalte zu sehen ist. Mit der Zahnbürste und dem Teesieb spritzt du die Wasserfarben darauf; so entsteht ein schönes Sprenkelmuster.

Legst du vor dem Spritzen noch eine kleine Schablone aus Papier auf die Mappe (ein Herz oder einen Stern), dann bleibt diese Stelle weiß ausgespart.

Unten siehst du, wie die Mappe zusammengefaltet und -geklebt wird. Und das Foto von nebenan zeigt dir, was alles in solch ein „Notfallmäppchen" hineingehört.

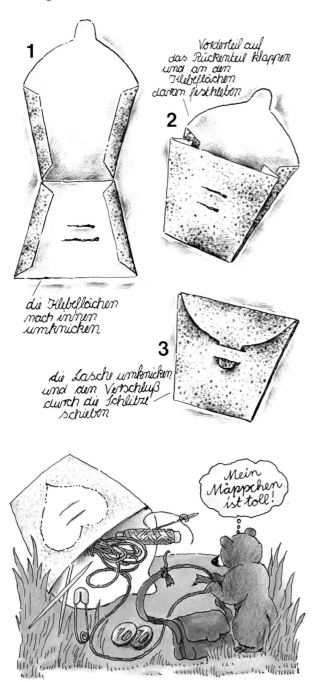

1

Vorderteil auf das Rückenteil klappen und an den Klebeflächen daran festkleben

2

die Klebeflächen nach innen umknicken

3

die Lasche umknicken und den Verschluß durch die Schlitze schieben

Mein Mäppchen ist toll!

Aus dem Häuschen

Verschieden große Schachteln
weiße Plaka- oder Wandfarbe
Wasserfarben
ein Geschenkgutschein

Dieses Häuschen hat es in sich: Immer wieder kommt ein neues, kleineres Häuschen zum Vorschein – und im letzten steckt ein Geschenkgutschein!

Du brauchst Verpackungsschachteln, die verschieden groß sind, so daß du jeweils eine Schachtel in die nächste stecken kannst.
Jede Schachtel wird nun mit Plaka- oder Wandfarbe grundiert und, wenn diese trocken ist, mit

So werden die bemalten Schachteln ineinander gesteckt

der Gutschein kommt in die letzte Schachtel

GUTSCHEIN
Ich schenke Dir
1X Geschirr-
Abtrocknen
* Dein Peter *

Wasserfarben als Haus bemalt. Sehr lustig sieht es aus, wenn alle Häuschen gleich gemalt sind und sich nur in der Größe voneinander unterscheiden.

In die letzte Schachtel steckst du einen Geschenkgutschein oder ein kleines selbstgemaltes Bild oder ein Foto von dir.

Bunte Märchenblume

Kreppapier in verschiedenen Farben
Schere, Klebefilm

Mit dieser bunten Märchenblume aus Kreppapier machst du jemandem, der krank ist, bestimmt eine Riesenfreude.

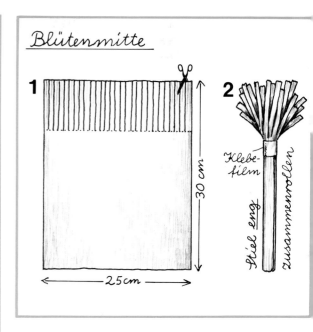

Blütenmitte

1

30 cm

25 cm

2

Klebefilm

Stiel eng.

zusammenrollen

Schau dir mal die Zeichnungen unten an. Danach kannst du die Blume leicht basteln.

Zuerst wird die **Blütenmitte** aus Kreppapier

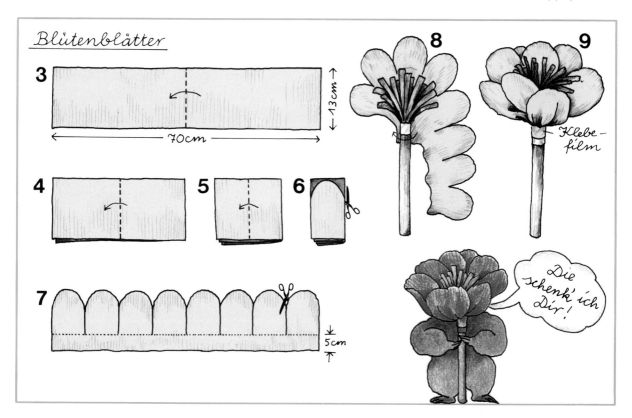

Blütenblätter

3

13 cm

70 cm

4

5

6

7

5 cm

8

9

Klebefilm

Die schenk' ich Dir!

eschnitten, eng zusammengerollt und mit Klebe-
lm befestigt (Zeichnungen 1 und 2).

ür die **Blütenblätter** faltest du ein Stück Kreppapier 3mal übereinander und beschneidest es
Zeichnungen 3 - 6). Nach dem Auffalten trennst
u die einzelnen Blütenblätter noch mit der
chere. Dann kräuselst du den Streifen um die
lütenmitte und umwickelst den unteren Teil fest
lit Klebefilm (Zeichnungen 7 - 9).

leiner Zaubergarten

> 1 leere Streichholz-
> schachtel, 2 Kugel-
> schreiberfedern
> 2 kleine Knöpfe
> Buntpapier, Ostergras
> Schere, UHU-Klebstoff

Venn man diese Schachtel aufmacht, kommt –
Hokuspokus! – ein kleiner Garten hervor!

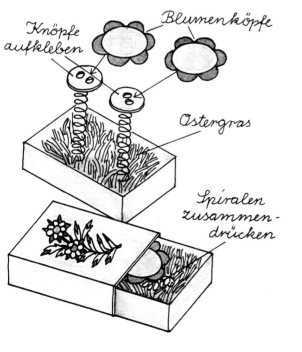

Knöpfe aufkleben

Blumenköpfe

Ostergras

Spiralen zusammen-drücken

Zuerst werden die Schachtelhülle und von der
Innenschachtel die 4 Außenwände mit farbigem
Papier beklebt. Dann klebe in das Innenteil die
beiden Kugelschreiberfedern und etwas Ostergras.
Die Blüten bastelst du aus Knöpfen, auf die du
gemalte Blumenköpfe klebst. Drücke die Federn
zusammen und schiebe die Schachtel in die Hülle.
Hübsch sieht es aus, wenn du die Schachtelhülle
noch mit Blüten verzierst.

Ein Nadelkissen mit Schublade

> 1 leere Steichholz-
> schachtel, 1 kleines
> Stück Schaumgummi
> Filzreste
> 1 kleine Perle
> Schere, UHU-Klebstoff

Wie wäre es, wenn du deiner Mutter oder großen
Schwester ein selbstgebasteltes Nadelkissen
schenken würdest?

Lege die Streichholzschachtel auf ein Stück
Schaumgummi und umfahre sie mit Kugelschrei-
ber. Schneide das Schaumgummistück entlang den
Linien aus und klebe es auf die Oberseite der
Schachtel (Zeichnung 1). Stelle den „Block" auf

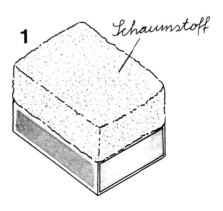

1 *Schaumstoff*

deinen Stoff, umfahre ihn mit Kugelschreiber
(Zeichnung 2) und schneide das entstandene
Rechteck 2mal aus. Klebe eines vorne und eines
hinten auf den Block. Dann streiche die vier
langen Seiten mit Klebstoff ein und umwickle sie
mit Stoff (Zeichnung 3). Das Überstehende wird
abgeschnitten.

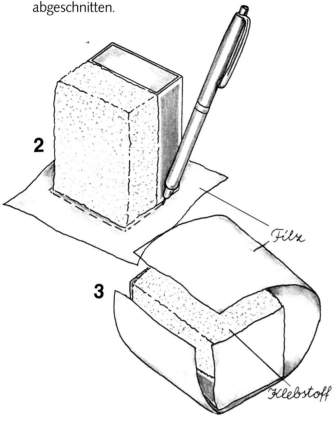

Damit eine Schublade entsteht, mußt du den Stoff
an einer Seite entlang der Schachtelhülle einschneiden (Zeichnung 4). Zum Schluß wird noch
eine kleine Perle als „Griff" angeklebt.

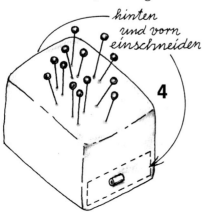

Maus mit was raus…

1 Bindfadenknäuel
1 Schachtel (in die das
Knäuel gut hineinpaßt)
farbiges Papier
1 Papierkugel
Wasserfarben
Schere, UHU-Klebstoff

„Da beißt die Maus keinen Faden ab" – das ist ein
tolles Geschenk!

Zuerst wird die Schachtel beklebt. Dann machst
du in eine Seite ein Loch. Es muß so groß sein,
daß der Bindfaden durchpaßt. Das Knäuel wird in
die Schachtel gelegt, der Fadenanfang durch das
Loch gefädelt und die Schachtel verschlossen.

2 × 2 Scheiben
für die Ohren

1 Papierkugel
als Nase,
dazu Barthaare
Mund und
Augen

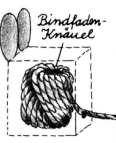

Bindfaden-
Knäuel

Für die großen Mäuseohren schneidest du 2 verschieden große Kreise aus und klebst sie aufeinander. Für das Näschen malst du die Papierkugel an. Nun schneide Augen, Mund und Barthaare aus. Klebe alle Teile an die Schachtel, so wie es die Zeichnung links unten zeigt.
Weißt du schon, wer die Maus bekommen soll?

Feines Briefpapier

Weißes unliniertes
Schreibpapier
Butterbrotpapier
spitze Stopfnadel
weiche Unterlage

Kennst du jemanden, der gerne Briefe schreibt?
Dann schenke ihm doch ein besonderes Briefpapier! Du kannst es leicht selbermachen, und es sieht wunderschön aus.
Überlege dir, welches Muster das Briefpapier haben soll, und zeichne es auf das Butterbrotpapier. Nebenan findest du zwei Beispiele. Du kannst sie abpausen. Lege ein Blatt Schreibpapier

auf eine weiche Unterlage. Das Butterbrotpapier wird so daraufgelegt, daß das Muster an den oberen Rand des Blattes kommt.

Nun stichst du mit der Nadel Loch an Loch durch beide Papiere, immer den vorgezeichneten Linien entlang. Willst du das Motiv öfter wiederholen, rutsche das Pausmuster einfach ein Stück weiter und stich wieder durch dieselben Löcher des Butterbrotpapiers.

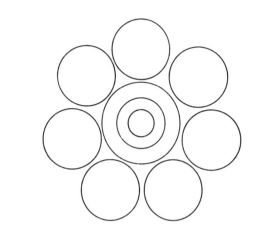

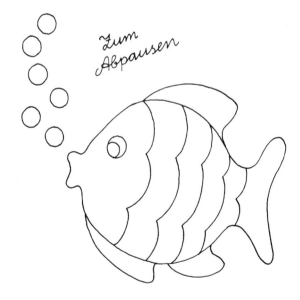

Zum Abpausen

Hübsch ist es, wenn du zum Verschenken die Briefbögen und einige einfache weiße Briefumschläge mit einem Geschenkband zusammenbindest.

Bunter Bleistift-Becher

1 Versandrolle (aus Pappe)
mit Deckel
farbiges Papier
Schere, UHU-Klebstoff

Über dieses Geschenk freut sich jeder, der viele Schreibstifte hat. In dem Bleistift-Becher stehen sie nämlich immer griffbereit beieinander.

Bitte jemand größeren, die Versandrolle durchzusägen, und zwar 10 cm vom Deckel entfernt. Jetzt hast du einen Becher mit Boden. Aber verrate nicht, wozu du ihn brauchst, es soll ja eine Überraschung werden! Beziehe den Becher mit einfarbigem Papier und klebe bunte Muster darauf. Zum Verschenken kannst du gleich ein paar Stifte in den Becher stellen.

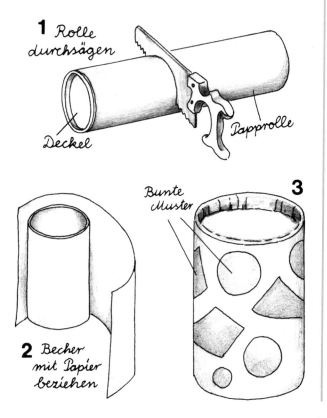

Henkelkörbchen

Farbiges Origami-
Faltpapier oder Tonpapier
Butterbrotpapier
Schere, UHU-Klebstoff

Einfach aus Buntpapier gebastelt – ein schönes Henkelkörbchen: zum Muttertag als Blumenkörbchen, zum Kindergeburtstag als Knabberkörbchen, zu Ostern als Eierkörbchen oder auch zum Sammeln für allerlei Krimskrams.

Die Zeichnungen zeigen dir, wie gefaltet (1 – 6), was abgepaust (7), wo nach dem Auffalten 8mal eingeschnitten (8) und wie zusammengeklebt wird (9). Zum Schluß klebst du einen Papierstreifen als Henkel ins Körbchen (10).

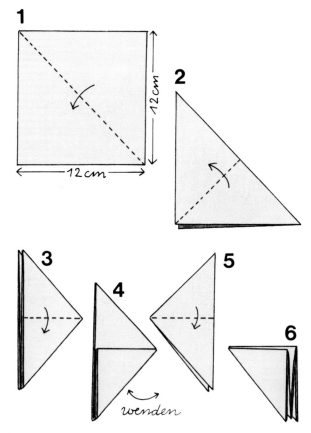

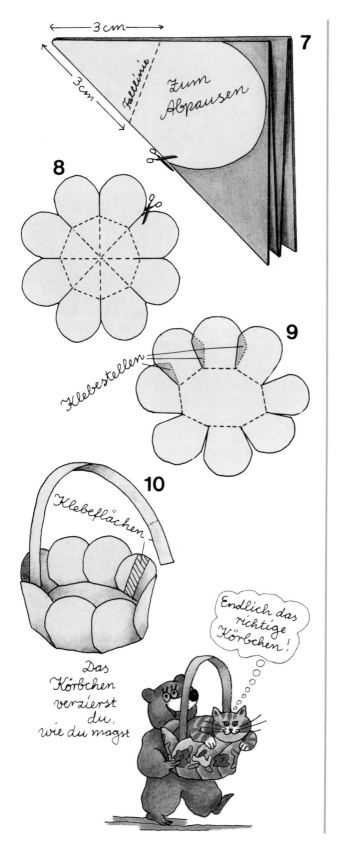

7 3 cm

3 cm

Faltlinie

Zum Abpausen

8

9 Klebestellen

10 Klebeflächen

Das Körbchen verzierst du, wie du magst

Endlich das richtige Körbchen!

Die freche Schachtel

Zeichen- oder Tonpapier
Butterbrotpapier
Filzstifte
Schere, UHU-Klebstoff

Langsam entfaltest du die unscheinbare Schachtel: Ein Gesicht schaut dich an – zwei Flügel breiten sich aus und – Hokuspokus! – das Gesicht streckt dir die Zunge raus. So eine freche Schachtel – wem wirst du die wohl schenken?

Nebenan findest du für die Schachtel 3 Abpausmuster. Übertrage sie auf ein Stück Zeichen- oder Tonpapier und schneide sie aus. Auf den Zeichnungen 1 – 5 siehst du, wie du weiterbasteln kannst. Zeichnung 1 zeigt dir die ausgeschnittenen 4 Einzelteile (alle Teile zeigen ihre Innenseite).

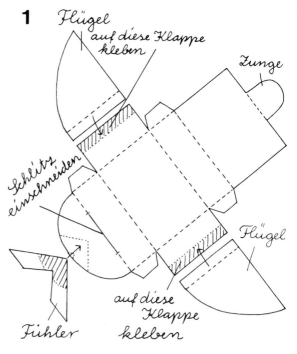

1 Flügel auf diese Klappe kleben

Zunge

Schlitz einschneiden

Flügel

auf diese Klappe kleben

Fühler

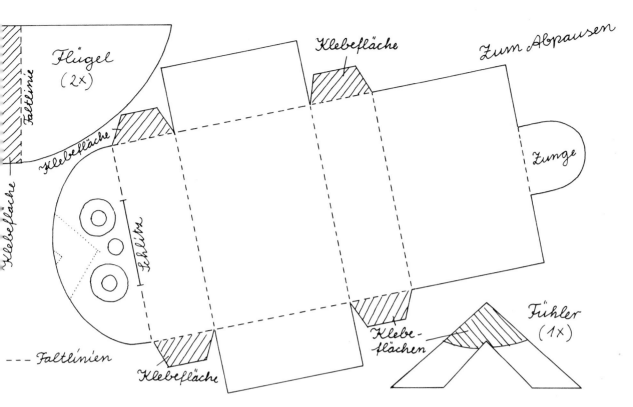

Flügel (2×)

Faltlinie

Klebefläche

Klebefläche

Klebefläche

Schlitz

Klebefläche

Klebefläche

Zum Abpausen

Zunge

Fühler (1×)

Klebe- flächen

--- Faltlinien

Mit einem stumpfen Gegenstand (Kugelschreiber) fährst du noch einmal auf allen Faltlinien entlang und drückst dabei etwas auf. So läßt sich das Kästchen besser zusammenfalten und kleben. Aber vor dem Zusammenkleben mußt du noch den kleinen Schlitz einschneiden und die beiden Flügel ankleben. Dann malst du das Gesicht auf die vordere Klappe. Die Zunge wird auf der Außenseite rosarot (Zeichnung 2).

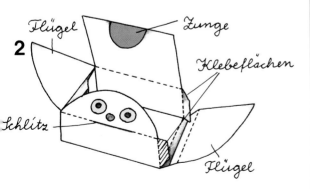

2

Flügel — Zunge

Klebeflächen

Schlitz

Flügel

Bei Zeichnung 3 ist die Schachtel schon zusammengeklebt. Auf die vordere Klappe sind auch die Fühler geklebt worden.

3

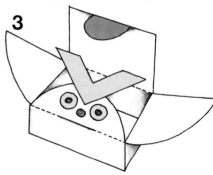

Die Zeichnungen 4 und 5 zeigen, wie du das Kästchen zusammenfalten und verschließen kannst: erst die Flügel nach innen biegen, dann die vordere Klappe (Gesicht) nach hinten drücken. Zum Schluß die Zunge in den Schlitz stecken.

4

5

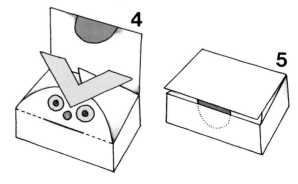

Bei Zeichnung 6 hat sich die Schachtel wieder entfaltet: Jetzt streckt sie ihre freche Zunge von hinten durch den Schlitz heraus!

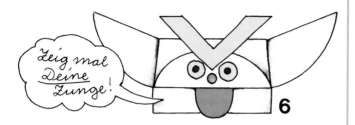

Zeig mal Deine Zunge!

6

Freßsäckchen und andere Tüten

**Origami-Faltpapier
weißes Schreibpapier
Buntpapier, Schere
Klebefilm, UHU-Klebstoff**

Wer kann denn so viele verschiedene Sachen verspeisen: Nüsse, Bonbons, Steinchen, Klicker, Mini-Autos, Popcorn und und und…?? Na, das sind die lustigen Freßsäckchen!

Freßsäckchen können ganz verschieden groß sein. Für unser Beispiel brauchst du ein Stück Origami-Faltpapier, das 18 cm lang und 12 cm breit ist.

Die Zeichnungen 1 – 8 zeigen dir, wie du erst einmal eine Tüte falten und kleben mußt.

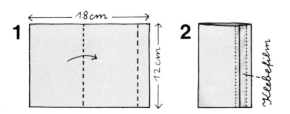

1   18 cm

2   Klebefilm

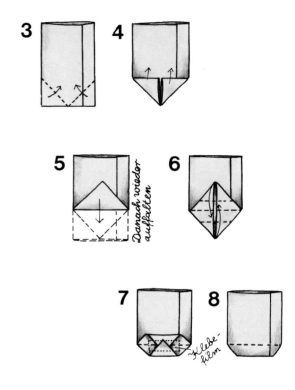

3 **4**

5 Danach wieder auffalten **6**

7 **8** Klebe-film

Mit 3 weiteren Faltungen (Zeichnungen 9 und 10) wird daraus ein Freßsäckchen, wenn du noch große Augen, Wimpern, Mund und Hände aus Buntpapier aufklebst (Zeichnung 11).

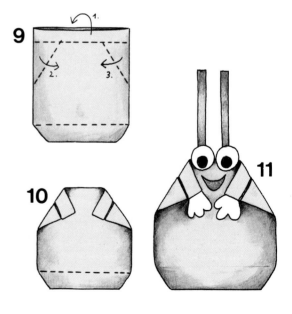

9   1. 2. 3.

10 **11**

Damit es ein Freßsäckchen wird:

Eine dicke, schicke Tonne

Leere Waschmitteltonne
bunte Stoff- und Filzreste
Schere, UHU-Klebstoff

In der dicken, schicken Tonne hat alles mögliche Platz: Bälle, bunte Bausteine, Wollreste...

Was du auf die Tonne kleben willst, kannst du selbst bestimmen: bunte Formen, Häuser und Bäume, Tiere und Blumen – überleg mal, irgend etwas fällt dir sicher ein. Male die Figuren auf den verschiedenen Stoffen mit Kugelschreiber vor. Dann werden sie ausgeschnitten und dicht zusammen auf die Tonne geklebt. Jetzt merkt keiner mehr, daß dieser hübsche Behälter mal eine Waschmitteltonne war.

Noch eine Idee: Wenn du den Henkel abmachst und die Tonne dann beklebst, kannst du sie auch als Papierkorb verschenken.

Die weiße Tüten-Maus

Eine Tüte kann sich auch in eine Maus verwandeln. Dazu faltest du aus weißem Schreibpapier (Größe 16 x 10 cm) die Tüte zunächst genauso zusammen wie bei dem Freßsäckchen. Dann beginnst du mit der Mäuse-Faltung nach den Zeichnungen 1 – 3 von unten.
Augen, große Ohren und Barthaare sind schnell ausgeschnitten und aufgeklebt (Zeichnung 4).

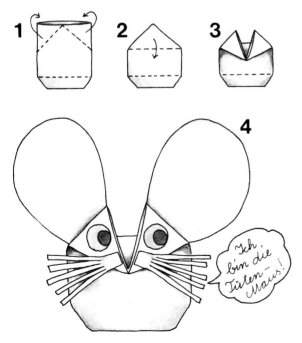

Hurra – endlich ist der Sommer da!

Jetzt sind große Ferien.
Und wenn auch alle Freunde verreist sind,
mit diesen tollen Spielsachen kommt bei dir
zu Hause bestimmt keine Langeweile auf!

Zum Baden nimmst du den Milchtütendampfer,
das Korkenfloß und Max, den Freischwimmer, mit.
Im Garten Pustebällchen schweben lassen oder
Riesenseifenblasen machen – das macht Spaß!
Und an einem lauen Sommerabend überrascht du
deine Familie mit einem fruchtigen Salat oder
leckerer Eismilch. Und wenn es dunkel wird,
zündest du die selbstgebastelten Tierlichter an…

Ahoi!

1 leere Milchtüte
kleine leere Schachteln
1 leere Klopapierrolle
Wasserfarben, Watte
Schere, UHU-Klebstoff

Mit diesem bunten Urlaubsdampfer kannst du die schönsten Seereisen spielen.

Die Milchtüte wird zum Schiffsbauch, indem du ein Seitenteil herausschneidest, die offene Lasche zusammenklebst (Zeichnung 1) und alles anmalst. Aus den buntbemalten Schachteln und der Klopapierrolle entsteht das Schiffsdeck und der Schornstein. Klebe alles aufeinander in den Schiffsbauch. Damit der Schornstein richtig raucht, stecke noch etwas Watte in die Papprolle (Zeichnung 2).

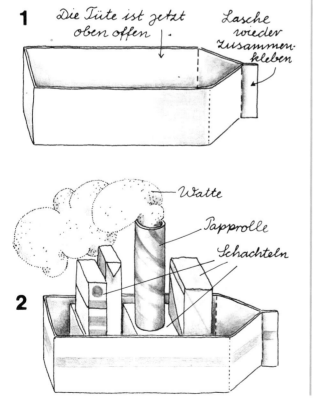

1 Die Tüte ist jetzt oben offen. Lasche wieder zusammenkleben

2 Watte / Papprolle / Schachteln

Wenn du lieber ein **Segelschiff** haben möchtest, brauchst du anstatt der Schachtel und der Klorolle 1 Korken, 1 Holzstäbchen und 1 Stück farbiges Papier. Das Stäbchen wird durch das Papier-Segel und in den Korken gesteckt (Zeichnung 3). Klebe den Korken in den Schiffsbauch, und schon kann die Segelpartie beginnen.

3 Holzstäbchen / Farbiges Papier / Korken

Aus einer Banane läßt sich ganz leicht eine kleine Gondel machen: Entferne nur einen Schalenstreifen und nimm die Frucht vorsichtig heraus. Fertig ist „La Gondola Banana"!

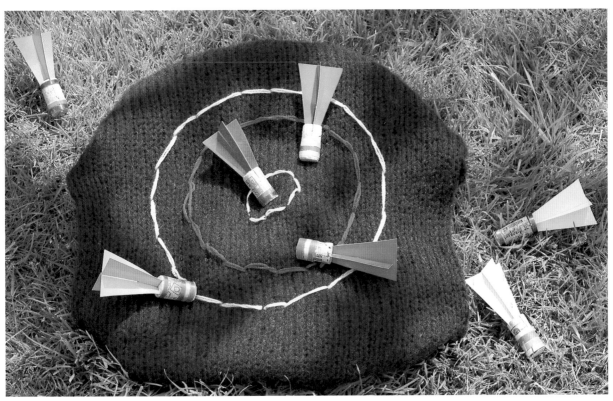

Das Ferienfloß

16 gleich große Korken
3 Zahnstocher
1 Holzschaschlikspieß
1 Stück Stoff
Schere, UHU-Klebstoff
2 Stecknadeln

Für das Segel sollte der Stoff etwa 16 cm lang und 14 cm breit sein. Schneide ihn zurecht (Zeichnung 3) und klebe ihn um die Zahnstocher. Nun braucht der Mast noch ein Fähnchen. Dazu klebst du ein Stückchen Stoff um den letzten Zahnstocher und steckst ihn oben in den Korken. Zum Schluß wird der Mast in die Mitte des Floßes gesteckt und das Segel links und rechts mit den Nadeln befestigt (Zeichnung 4).

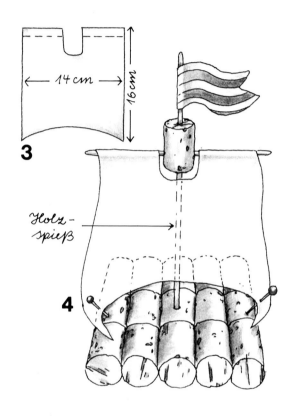

Ob in den Ferien am Meer, zu Hause an einem Bach oder in der Badewanne – dieses Floß kannst du überall schwimmen lassen.

Klebe 15 Korken so zusammen, wie du es unten auf der Zeichnung 1 siehst. Die Klebestellen mußt du dazu beidseitig mit Klebstoff bestreichen, leicht aneinanderdrücken und dann gut trocknen lassen. Für den Mast steckst du 2 Zahnstocher und den Holzspieß in den übriggebliebenen Korken (Zeichnung 2).

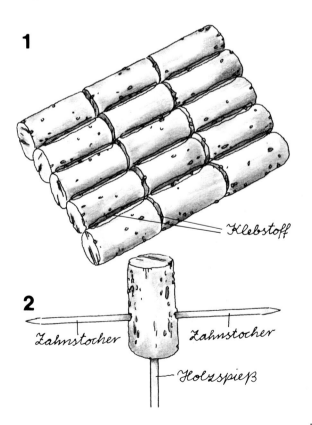

Max, der Freischwimmer

Fester weißer Karton
Butterbrotpapier
Wachsmalstifte
1 Korken
1 Zahnstocher
dünnen Draht

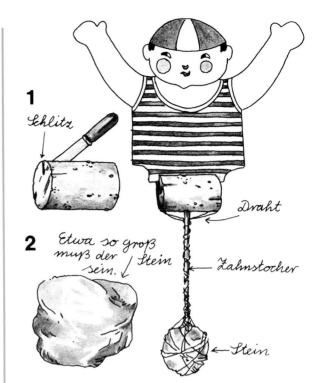

1 Schlitz

2 Etwa so groß muß der Stein sein.

Draht

Zahnstocher

Stein

Max ist ein unermüdlicher Schwimmer. Wenn
du mit ihm baden gehst, wirst du staunen – er
schwimmt und schwimmt und wird niemals
müde!

Unten findest du das Muster zum Abpausen.
Übertrage es auf den weißen Karton. Wenn die
Figur ausgeschnitten ist, malst du sie vorne und
hinten bunt an. Nun machst du in den Korken
einen Schlitz und schiebst Max hinein (Zeichnung 1). Zum Schluß steckst du den Zahnstocher

in die Korkenmitte und beschwerst ihn unten mit
einem Gewicht, zum Beispiel mit einem Stein
(Zeichnung 2).

Zum Abpausen

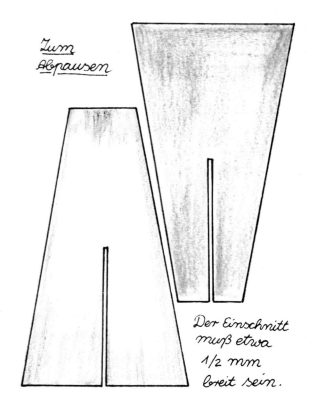

Zum Abpausen

Der Einschnitt muß etwa 1/2 mm breit sein.

Wie schwer das Gewicht sein darf, mußt du zuerst ausprobieren. Das Gewicht ist dann richtig, wenn Max nicht umkippt, sondern aufrecht aus dem Wasser schaut.

Spicker

4 – 5 Korken
dünner farbiger Karton
Butterbrotpapier
Klettband
bunte Papierstreifen
Messer, Schere
UHU-Klebstoff

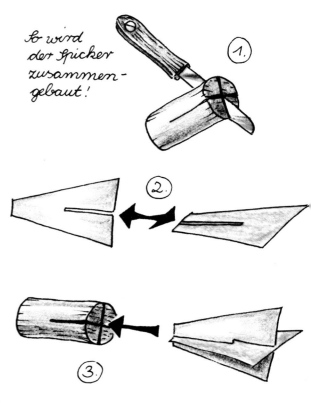

So wird der Spicker zusammengebaut!

①.

②.

③.

Nimm pro Spicker einen Korken und schneide ihn mit dem Messer kreuzweise längs ein (Zeichnung 1 nebenan).

Pause die „Flugfedern" von oben ab und übertrage sie auf den Karton. Dann schneide sie aus und stecke sie so in den Korken, wie du es auf den Zeichnungen 2 und 3 siehst.

Klebe vorn auf den Korken ein Stückchen Klettband. (Du kennst es sicher von Turnschuhverschlüssen her – kaufen kann man es im Kaufhaus

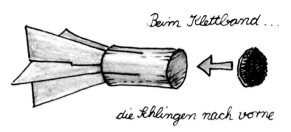

Beim Klettband ...

die Schlingen nach vorne

in der Kurzwarenabteilung.) Es sorgt dafür, daß deine Spicker an der Zielscheibe hängenbleiben. Wenn du willst, verziere sie jetzt noch mit farbigen Papierstreifen, passend zu den „Flugfedern".

Als Zielscheibe nimm einen alten Wollpulli oder ein Stück Stoff, an dem das Klettband gut haftet (ausprobieren!) Sticke mit dicker Wolle in gut sichtbaren Farben drei Kreise darauf und befestige die Zielscheibe an der Wand.

Spielregel:
Der innere Kreis bringt 100, der mittlere 30 und der äußere 10 Punkte. Werfen darfst du, solange du die Scheibe triffst. Wirfst du daneben, ist dein Mitspieler dran.

Riesenseifenblasen

*Für das **Pusterohr** schneide von einer Plastikwasserflasche mit einem scharfen Messer den Boden ab. Dann mach rundherum im Abstand von etwa 0,5 cm Einschnitte. Nimm 1/4 l Wasser, 3 Teelöffel Spülmittel, 3 Teelöffel Speiseöl (läßt die Seifenblasen schillern) und 4 Teelöffel Zucker (macht die Seifenblasen haltbarer). Verrühre in einer Plastikschüssel alles gut miteinander. Tauche die Flasche mit dem abgeschnittenen Ende hinein, ziehe sie heraus und puste kräftig durch den Flaschenhals.*

Tierlichter

Gläser, Teelichter
Butterbrotpapier zum
Abpausen, Plaka-Farbe
Metallpapier
Schere, UHU-Klebstoff

Diese Tiere sitzen am liebsten in leeren Gläsern;
da leuchten sie an lauen Sommerabenden im
Garten oder auf dem Balkon.

Frosch:

Pause die Muster für Seerosenblatt, Beine und
Maul ab und übertrage sie auf das Metallpapier.
Drehe das Pauspapier für das zweite Bein um,
damit du ein linkes und ein rechtes Bein

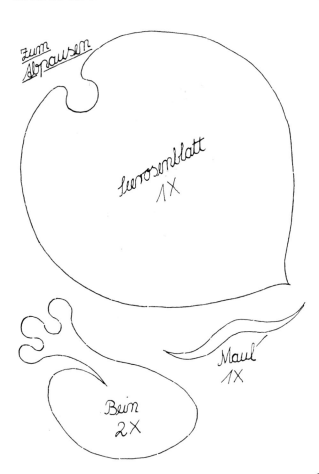

Zum
Abpausen

Seerosenblatt
1 X

Maul
1 X

Bein
2 X

bekommst. Zwei verschieden große aufeinander-
geklebte Metallpapierkreise werden die Augen.

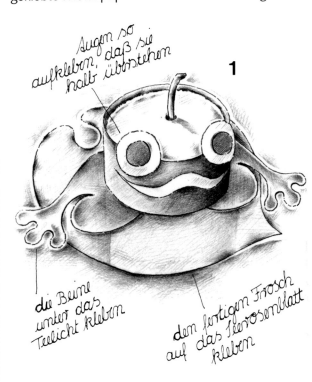

Augen so
aufkleben, daß sie
halb überstehen

1

die Beine
unter das
Teelicht kleben

dem fertigen Frosch
auf das Seerosenblatt
kleben

Nachdem du das Teelicht mit grüner Plaka-Farbe
bemalt hast, klebst du die einzelnen Teile daran
fest (Zeichnung 1).

Fisch:

Das Teelicht für den Fisch kann silbern bleiben.
Auf der nächsten Seite findest du die Pausmuster
für Seiten- und Schwanzflossen. Auch hier mußt du
das Muster für die zweite Seitenflosse umdrehen.

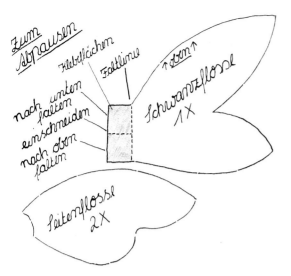

Zum
Abpausen

Klebeflächen
Faltlinie

nach unten
falten
einschneiden
nach oben
falten

↑ oben ↑
Schwanzflosse
1 X

Seitenflosse
2 X

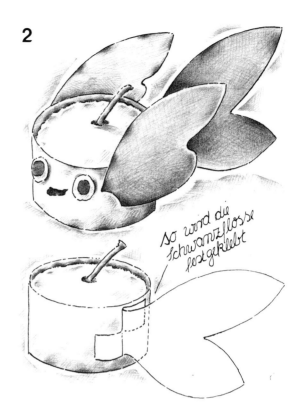

2

So wird die
Schwanzflosse
festgeklebt

Die Augen machst du genauso wie beim Frosch.
Das Maul wird einfach mit Plaka-Farbe aufgemalt.
Auf der Zeichnung 2 siehst du, wie die Flossen an
das Teelicht geklebt werden.
Jetzt kommt jedes Tier in sein Glas, damit es am
Abend leuchten kann…

Pustebällchen

1 Korken, Lochraspel
1 Plastiktrinkhalm
mit „Knick"
5 Stecknadeln
Aluminiumfolie

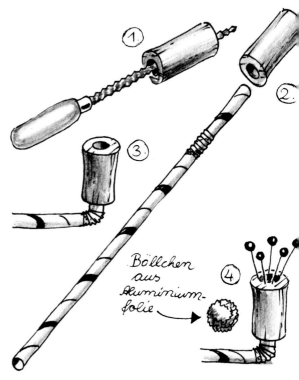

Böllchen aus Aluminiumfolie

Als erstes bohre mit der Lochraspel ein Loch längs durch den Korken und erweitere dieses so, daß der Trinkhalm mit dem kurzen Ende nach dem „Knick" hindurchpaßt.

Sitzt der Trinkhalm fest im Korken, dann stecke die Nadeln rund um die obere Öffnung hinein.

Nun brauchst du noch ein paar geeignete Pustebällchen: Kugeln aus Aluminiumfolie mit etwa 7–9 mm Durchmesser eignen sich gut, noch besser sind Papierkugeln (Bastelladen).

Setze ein Bällchen auf die Öffnung zwischen den Nadeln, puste am anderen Ende in den Strohhalm – und das Bällchen schwebt frei in der Luft!

Mit einer Papierkugel geht's besonders gut!

Die Puzzle-Post

1 Ansichtskarte
1 Briefumschlag
größere Schere

Willst du mal eine Ansichtskarte verschicken, die sich der Empfänger erst zusammenpuzzeln muß, bevor er sie lesen kann?

Dann schreibe zuerst deinen Text, wobei du die ganze Rückseite benutzen kannst. Nun zerschneide die Karte mit geraden Schnitten in mehrere verschieden große Streifen. Danach zerteile diese Streifen in einzelne Stücke (Zeichnung auf der nächsten Seite). Sämtliche Teile steckst du in einen Briefumschlag, beschriftest und frankierst ihn und schickst ihn ab.

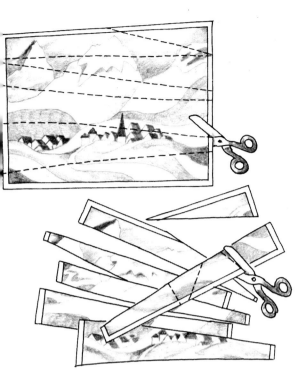

Ob der Empfänger wohl mit dem Puzzeln fertig wird, bis du von der Reise zurück bist...?

Es müssen nicht unbedingt Ansichtskarten sein, die du auf diese Weise verschickst. Du kannst auch ein selbstgemaltes Bild oder einen Prospekt vom Ferienort in ein Puzzle verwandeln und zusammen mit einem Gruß verschicken.
Oder möchtest du dir vielleicht selber ein Puzzle basteln? Du wirst dich wundern – es ist gar nicht so einfach, die Teile wieder richtig zusammenzulegen.

Fruchtiger Sommer-Salat

Du brauchst dazu 1 Pfirsich, 1 Birne, 2 Aprikosen, etwa 150 g Kirschen, Saft von einer halben Zitrone und 2 Eßlöffel Zucker. Zuerst das Obst gut waschen. Dann Pfirsich, Birne und Aprikosen in kleine Stücke schneiden. Alle Früchte in eine Schüssel geben, zuckern, Zitronensaft darübergießen und gut mischen. Etwa 1 Stunde ziehen lassen. Ganz lecker schmeckt Schlagsahne oder Vanilleeis dazu.

Eismilch

Zuerst gibst du vier Eßlöffel Himbeersirup in ein Glas. Dann setzt du eine Kugel Vanilleeis darauf und schüttest gut gekühlte Milch darüber.

Alle deine Tiere

Kennst du schon die Freunde vom Bastelbär?
Das sind die Uckis, die Wackelschildkröte,
das Riesenkrokodil, Familie Putt-Pick,
sein Vetter Hampelbär, der kleine Bastelbär
und viele andere.
Alle gehören zur großen Familie der Basteltiere.
Sie wohnen am liebsten in Kinderzimmern und
mögen es gerne, wenn man mit ihnen spielt.

Vielleicht möchtest du, daß diese Tiere auch
deine Freunde werden. Wie du das anstellen
kannst, zeigt dir der Bastelbär hier.

Hampelbär

2 runde Bierdeckel
fester farbiger Karton
farbiges Papier
Butterbrotpapier
4 Versandklammern
Stickgarn, 1 Holzperle
Schere, UHU-Klebstoff

Bastelbär und Hampelbär – das sind zwei gute
Freunde. Und so bekommst du deinen Hampel-
bären: Klebe die Bierdeckel auf das farbige Papier
und schneide die überstehenden Teile rundherum
ab. Arm und Bein von nebenan abpausen und
zweimal auf den Karton übertragen. Achte beim
zweiten Mal darauf, daß du das Pauspapier
umdrehst, damit du jeweils ein linkes und ein
rechtes Teil bekommst! Die Ohren ausschneiden
und an den einen Bierdeckel kleben.

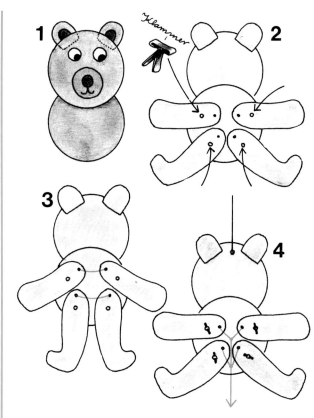

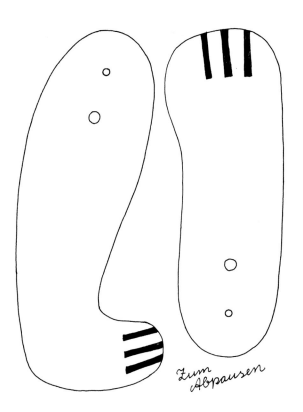

Zum
Abpausen

Aus farbigem Papier das Innere der Ohren, Augen
und Nase ausschneiden und aufkleben. Jetzt ist
der Kopf fertig und wird an den anderen Bierdeckel geklebt (Zeichnung 1).

Damit der Bär hampeln kann, mußt du folgendes
tun: Mit der Schere in Arme und Beine ein
größeres Loch für die Klammern, darüber in 1 cm
Abstand ein kleineres Loch für den Faden bohren
(Abpausmuster!).
Arme und Beine auf die Körperrückseite legen.
Durch die großen Löcher hindurch gleich große
Löcher in das Körperteil bohren (Zeichnung 2).

Die Arme werden mit einem Faden verbunden,
die Beine ebenso (Zeichnung 3).

Die Fadenenden verknoten. Die 4 Versandklam-
mern von vorne durch den Körper, die Arme und
Beine stecken. Nur leicht umbiegen, damit sich die
Glieder gut bewegen können.
Einen längeren Faden in der Mitte der Armver-
bindung und in der Mitte der Beinverbindung

festknoten (Zeichnung 4). Die Enden durch eine Perle fädeln. Zum Aufhängen einen Faden durch ein Loch zwischen den Ohren ziehen und verknoten.

setzen. Die Augen werden aufgemalt. Nun noch die prächtigen Schwanzfedern aus bunt bemaltem

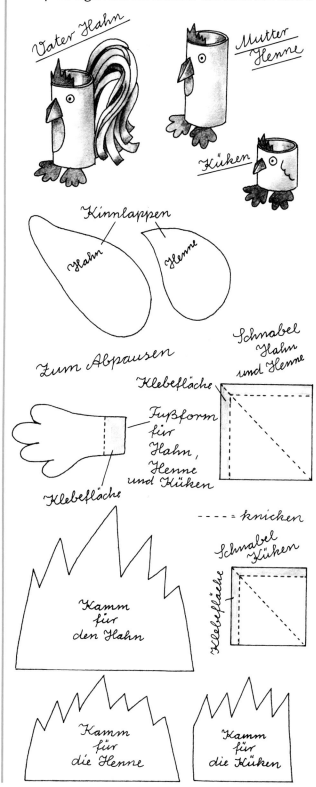

Familie Putt-Pick

**Leere Klopapierrollen
rotes und weißes Papier
Wasserfarben
Schere, UHU-Klebstoff**

Vater Hahn, Mutter Henne und viele kleine gelbe Küken – das ist die Familie Putt-Pick.

Vater Hahn entsteht aus einer leeren Klopapierrolle, die bunt angemalt wird. Kamm, Schnabel, Kehllappen und Füße kannst du von nebenan abpausen, auf rotes Papier übertragen und ausschneiden. Kamm und Füße an der Innenseite der Rolle befestigen. Den Schnabel in der Mitte knicken, ankleben und den Kehllappen darunter-

Papier zurechtschneiden und mit Klebefilm ankleben. Für **Mutter Henne** machst du genau dasselbe. Sie hat jedoch keine bunten Schwanzfedern und einen kleineren Kamm und Kehllappen. Für ein **Küken** schneidest du eine Klopapierrolle in der Mitte durch. Male sie gelb an und klebe dann Schnabel, Füße und den kleinen Kamm an. Flügel und Augen werden aufgemalt.

Elefanten-Trompete

**Buntes Schreibpapier
Butterbrotpapier
Filzstifte, Schere**

Dieser Papier-Elefant kann so laut trompeten, wie ein echter Elefant!

Pause den Elefanten und die Ohren (von unten) auf ein gefaltetes Stück Schreibpapier. Schneide die Formen aus, klebe auf beide Seiten die Ohren an. Male Augen und Zehen auf.
Zum Blasen preßt du die auseinandergeklappten Schwanzenden mit Zeige- und Mittelfinger an den Mund (siehe Foto auf dem Buchumschlag). Bläst du jetzt kräftig durch die beiden Finger in den Elefanten hinein, gibt es ein echtes mächtiges Elefanten-Trompeten-Signal!

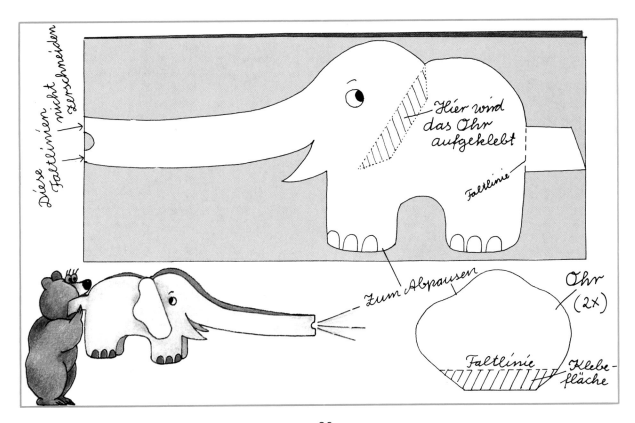

Vogel, Katze und Giraffe

Verschiedenfarbiges
Ton- und Buntpapier
Kreppapier
Butterbrotpapier
Filzstifte, Schere
leere Streichholzschachteln
UHU-Klebstoff, Klebefilm

Alle Schachtel-Tiere haben einen kleinen, geheimnisvollen Trick: Du kannst ihre Körper öffnen und etwas darin verstecken – keiner wird es finden.
Oder du nimmst ein Schachtel-Tier als ganz besondere Verpackung für ein kleines Geschenk (zum Beispiel zum Kindergeburtstag).

Der Vogel

Zuerst faltest du ein Stück Ton- oder Buntpapier 1mal übereinander. Darauf paust du den Vogelkopf (von unten) und schneidest ihn aus. Dann klebst du den Kopf vorn und hinten an die quergestellte Streichholzschachtel, so wie es die Zeichnung zeigt. Schnabel, Auge und Kamm werden aus Buntpapier aufgeklebt und aufgemalt. Die „Federn" für den Schachtelkörper schneidest du aus Kreppapier und klebst sie schuppenförmig auf.

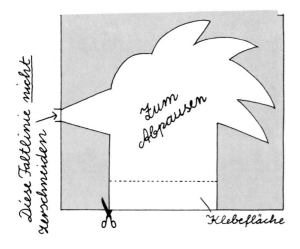

Diese Faltlinie nicht zerschneiden

Zum Abpausen

Klebefläche

Jetzt heftest du noch mit Klebefilm einen Schwanz an das Schachtelfach. Wenn du am Schwanz ziehst, öffnet sich die Schachtel.

Vogel

Klebefilm

Die Katze und die Giraffe

Diese beiden Schachtel-Tiere bastelst du nach den Zeichnungen hier so ähnlich wie den Vogel. Die Muster auf den Tieren kannst du dir selber ausdenken.

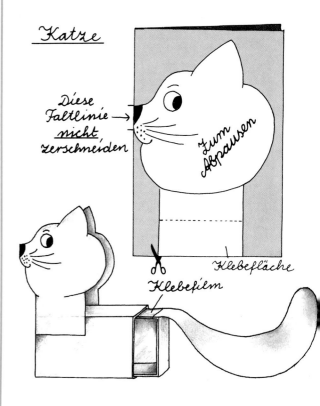

Katze

Diese Faltlinie nicht zerschneiden

Zum Abpausen

Klebefläche

Klebefilm

Bei der Giraffe läßt sich das Schachtelfach nach unten herausziehen: Die Giraffe wächst!

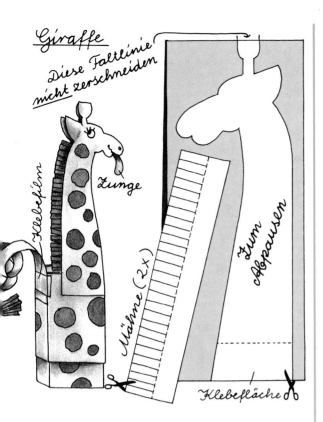

Giraffe

Diese Faltlinie nicht zerschneiden

Klebefilm

Zunge

Mähne (2×)

Zum Abpausen

Klebefläche

An 2 Stellen gibt es noch Extra-Einschnitte. Falten lassen sich alle Uckis, wie du willst. Nur die Füße biegst du immer nach vorn, dagegen die Standflächen nach hinten. Mit bunten Papieren klebst du die uckigen Gesichter auf.

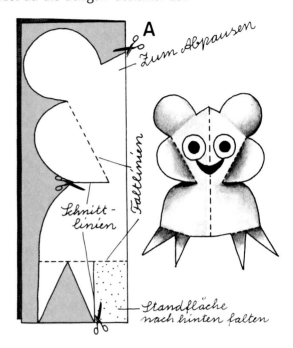

A

Zum Abpausen

Schnitt-linien

Faltlinien

Standfläche nach hinten falten

Aus den Abpaus-Figuren B und C kannst du noch andere verrückte Uckis basteln.

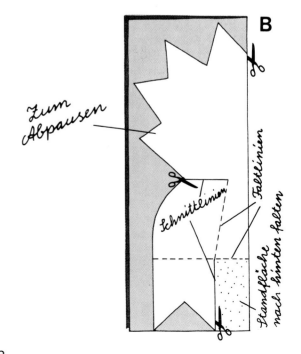

B

Zum Abpausen

Schnittlinien

Faltlinien

Standfläche nach hinten falten

Die Uckis kommen!

Verschiedenfarbiges Tonpapier
Buntpapier
Butterbrotpapier
Schere, UHU-Klebstoff

Solche kleinen Fantasy-Geister kommen vielleicht von einem anderen Stern. Immer sind sie in Scharen unterwegs… Schau mal, wie leicht du die Uckis ausschneiden und wie verschieden du sie falten und gestalten kannst.

Pause die verschiedenen Figuren (A – C) auf ein gefaltetes Tonpapier und schneide sie aus.

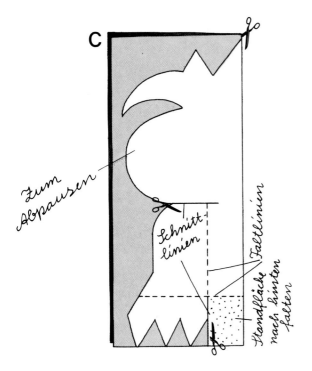

C

Zum Abpausen

Schnitt linien

Falllinien

Handfläche Falllinien nach hinten falten

Auf dem Foto von Seite 91 siehst du, wie bunt-verschieden deine Ucki-Sammlung aussehen kann.

Kleiner Bastelbär

Stoff- oder Filzreste
Butterbrotpapier
Stickgarn
Watte, Stecknadeln
Schere und Nähnadel

Was ein richtiger „Bastelbär ist, der bastelt sich einen Bären selber.

Die Form kannst du von unten abpausen. Schneide sie aus und stecke sie auf deinem Stoff oder Filz fest. Dann entlang den Umrissen ausschneiden. Dies machst du zweimal. Die beiden Teile werden aufeinandergelegt und mit Stickgarn umnäht. Nur der obere Teil mit den beiden Ohren bleibt offen (Zeichnung 1).
Jetzt stopfst du mit der Watte den Bären so dick

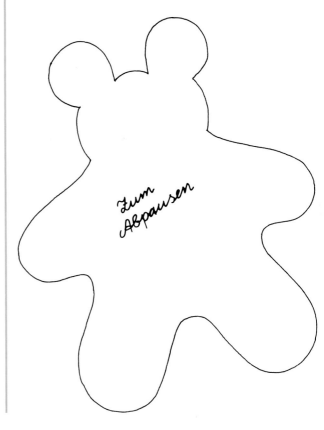

Zum Abpausen

1 **2**

wie möglich aus. Nimm einen Bleistift zu Hilfe, da-
mit kommst du besser in alle Teile (Zeichnung 2).
Zum Schluß wird das letzte Stück zusammenge-
näht, und der Teddy bekommt noch ein Gesicht.
Du kannst es entweder aufsticken oder mit kleinen
Perlen aufnähen.

Bunte Schnecken

Leere Schneckenhäuser
Knetmasse, Unterlage
Wasserfarben

Male die Schneckenhäuser mit Wasserfarben bunt
an. Während sie trocknen, formst du aus der Knetmasse die Körper mit dem Kopf und den langen
Stielaugen. Vergiß die Unterlage nicht, bevor du
mit dem Kneten beginnst!

Wenn du mit dem Formen fertig bist, setze die
Schneckenhäuser auf die Körper. Anstelle der
Schneckenhäuser kannst du auch halbe Walnuß-
schalen nehmen.

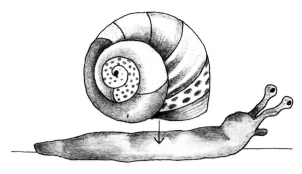

Mäuschen

1 Walnußhälfte
Leder- oder Stoffreste
graue und schwarze Farbe
fester Karton
Schere, UHU-Klebstoff

Mit dem Mäuschen oder anderen Nußtieren
(Seite 99) kannst du schöne Geschenke basteln.
Dazu zeichnest du den Umriß der Nußhälfte auf
festen Karton, schneidest diesen aus und klebst
ihn als Boden unter die Nuß.

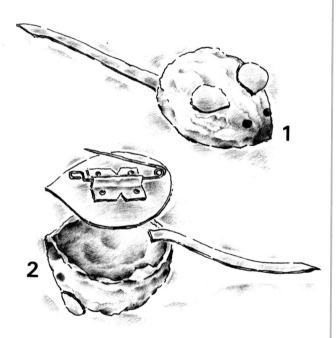

An dem Boden läßt sich nun alles mögliche befestigen: Broschenverschluß, Band, kleiner Magnet,
Haarspange, Wäscheklammer… (Zeichnung 2).

Bemale die Nußschale mit grauer Farbe. Aus Leder
oder Stoff schneidest du Ohren und Schwanz aus
und klebst sie an den entsprechenden Stellen an
die Nuß. Augen und Schnäuzchen werden schwarz
aufgemalt (Zeichnung 1).

Schnattertiere

Mehrere Walnußhälften
festes Papier
Butterbrotpapier zum
Abpausen
Federn
Wasserfarben
Schere, UHU-Klebstoff

Bemale zuerst die Nußschalen. Auf das Papier
kannst du das Pausmuster für die Köpfe mehrmals
übertragen und ausschneiden. Augen und
Schnäbel werden aufgemalt. Die Einschnitte
müssen so groß sein, daß die Köpfe auf die
Nußschalen gesteckt werden können.
Zum Schluß klebst du noch die Federn in die
Nüsse.

Pausmuster

Krabbelkäfer

Mehrere Walnußhälften
farbiges und schwarzes
Tonpapier
Butterbrotpapier zum
Abpausen
Wasserfarben
Samen, Ästchen,
getrocknete Pflanzen…
Schere, UHU-Klebstoff

Wenn du für deinen Käfer Beine brauchst, kannst du sie von unten abpausen.
Für Flügel, Fühler und weiteren Schmuck laß dich vom Foto auf Seite 97 anregen, um dann ähnliche oder eigene neue Prachtkäfer zu basteln.

Pausmuster je nach Nußgröße verschieden breit und lang

dein Käfer kann Flügel aus getrockneten Blättern bekommen

Wackelschildkröte

1 große Walnußhälfte
farbiges Tonpapier
Butterbrotpapier zum
Abpausen
dünner Blumendraht
Siegellack (Schreibwaren)
Rundfeile
Schere, UHU-Klebstoff

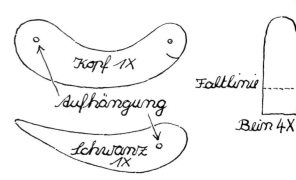

Kopf 1X

aufhängung

Schwanz 1X

Faltlinie

Bein 4X

Die Körperteile kannst du abpausen und auf das Tonpapier übertragen.
Schneide sie aus, male Augen, Nase und Mund darauf und bohre die Löcher. Durch die beiden Löcher steckst du je ein Stückchen Blumendraht und biegst es zu einer Schlinge (Zeichnung 1).

hier eventuell Siegellack auftropfen.

1

Nun feilst du mit der Rundfeile hinten und vorne an der Nußhälfte Halbkreise aus (Zeichnung 2).

An einem 4 cm langen Drahtstück biegst du die Enden zu Haken um und klebst das Stück mit Siegellack an der Nußwölbung fest (Zeichnung 3). Hänge die Schlingen von Kopf und Schwanz in die Haken. Sie sollten unbedingt im Gleichgewicht sein. Kippen sie nach vorne oder hinten, so kannst du auf der Körperseite noch Siegellack auftropfen, bis das Gleichgewicht hergestellt ist.

Male die Nußschalen zuerst rot an. Dann werden die Flügelumrisse, die Punkte und der Kopf mit Schwarz darübergemalt (Zeichnung 1). Den unteren Teil des Körpers kannst du von nebenan abpausen, auf schwarzes Papier übertragen und ausschneiden. Die Nußschale daraufkleben und den Kopf mit den Fühlern etwas nach oben biegen (Zeichnung 2).

Die Füße werden in rechtem Winkel abgebogen und innen am Nußrand festgeklebt (Zeichnung 4).

Marienkäfer

Halbe Walnußschalen
schwarzes Papier
Butterbrotpapier
Wasserfarben
Schere, UHU-Klebstoff

Magst du die kleinen roten Käfer auch so gerne? Wenn du dir selber welche bastelst, hast du das ganze Jahr hindurch Glückskäferchen in deinem Zimmer.

Im Klammer-Zoo

Einige Wäscheklammern
fester weißer Karton
Butterbrotpapier zum
Abpausen
Farbe zum Anmalen
Wolle, Federn
Schere, UHU-Klebstoff

Hier sind zwei Beispiele für Krokodile.

Die Zunge ist einfach einge-klemmt!

Im Klammerzoo leben Elefanten, Flamingos,
Krokodile, Mäuse, wilde Streifennashörner und
viele andere Klammertiere, die du noch erfinden
kannst.

Die Ohren sind extra angeklebt

Der Körper wird einfach aus Pappe aus-geschnitten!

Du kannst dir auch ganz andere Tiere für den Zoo ausdenken!

Die Tierkörper werden aus Karton ausgeschnitten
und bekommen dann Klammerbeine. Du kannst
auch ihre Zähne und Schwänze auf Klammern
kleben.

Auf der nächsten Seite findest du ein paar Tiere
zum Abpausen.
Mit Wolle, Federn und Farbe kannst du die tollsten
Tiere für deinen Klammerzoo erfinden!

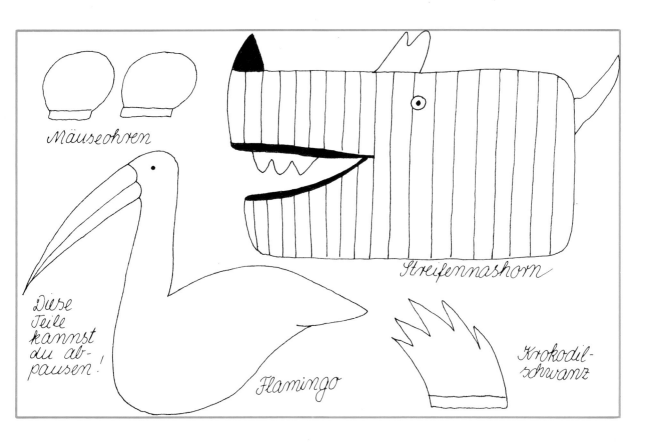

Mäuseohren

Diese
Teile
kannst
du ab-
pausen!

Flamingo

Streifennashorn

Krokodil-
schwanz

Schwan und Ente

**2 Holzwäscheklammern
fester weißer Karton
Butterbrotpapier zum
Abpausen
Plakafarbe
ein paar Federn
Schere, UHU-Klebstoff**

Der Schwan und die Ente können richtig
schwimmen – entweder in einer Wasserschüssel
oder auf einem echten Teich.

Du schneidest aus Karton die Formen aus. Rechts
siehst du sie noch einmal genau. Wenn du magst,

Die Köpfe
kannst du
abpausen.

Die gestreif-
ten Flächen
werden nach
hinten um-
geknickt.

kannst du sie abpausen. Die gestreifte Fläche
knickst du nach hinten um und klebst sie auf die

Klammer. Dann malst du deine beiden Vögel an, am besten mit wasserfesten Plakafarben.

Damit sie dir nicht wegschwimmen, kannst du eine Schnur festklemmen. Wenn du jetzt noch ein paar Federn aufklebst, sind dein Schwan und deine Ente fast lebendig geworden…

Riesenkrokodil

Zeitungspapier
Tapetenkleister (125 g)
ein alter Eimer
grüne Plakafarbe
Wasserfarben
1 dicker und
1 dünner Pinsel

Das letzte Tier soll auch das größte werden: ein „Riesen-Kleister-Papier-Krokodil".

Je nach Größe des Krokodils wird eine viertel bis eine halbe Packung des Kleisters mit Wasser angerührt. Für die Grundform des Krokodils knüllst du mehrere lockere Kugeln aus Zeitungspapier. Tauche zwischendurch deine Hände in Kleister

Und ich bin ein Klammeraffe!

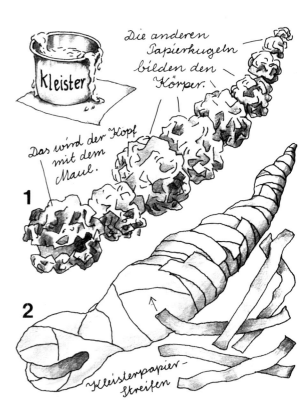

Die anderen Papierkugeln bilden den Körper.

Das wird der Kopf mit dem Maul.

1

2

Kleisterpapier-Streifen

nd klebe die Kugeln nebeneinander. Aus der vor-
lersten Kugel formst du das Maul (Zeichnung 1).

ine große Seite Zeitungspapier mit Kleister
estreichen und um die Kugelreihe wickeln. Die
Körperform zurechtdrücken. Mehrere Lagen Klei-
terpapier-Streifen kreuz und quer um den Körper
leben (Zeichnung 2). Vier halbe Zeitungsseiten
mit Kleister bestreichen, zusammenrollen, etwas
drehen und als Beine an den Körper kleben. Um
die Klebestellen werden mehrere Papierstreifen
geklebt, damit die Beine gut halten (Zeichnung 3).
inen breiten Papierstreifen in Kleister tauchen,
usdrücken (Zeichnung 4). Die Augen werden aus
Kleisterpapierstückchen geformt.

Nun muß das Krokodil etwa 4 – 5 Tage trocknen.
Dann verdünnst du die Plakafarbe mit etwas
Wasser und malst das Krokodil an. Die Augen
werden mit Deckweiß, das Maul mit Wasserfarben
gemalt. Ganz gefährlich sieht es aus, wenn du
noch Zähne aus weißen Papierzacken in das Maul
klebst.

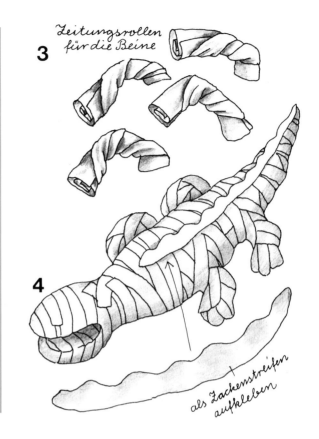

3 Zeitungsrollen für die Beine

4 als Zackenstreifen aufkleben

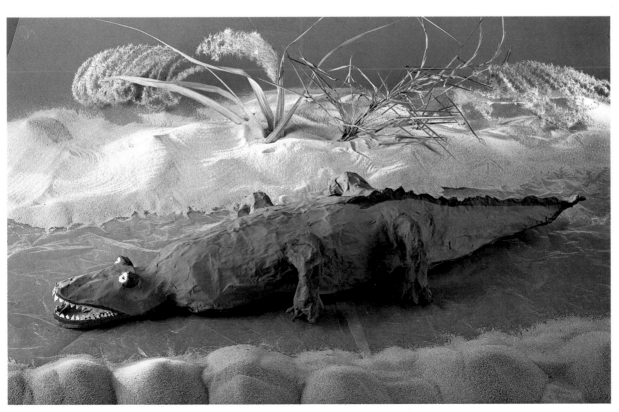

Wer
spielt mit?

Farben kegeln, Bäumchen pflanzen,
Mäuse fangen, Löwen bändigen…
Hier findest du eine Menge
lustige Spiele für drinnen und draußen.

Die Spielpläne und -figuren kannst du
alle selber machen.
Bitte doch deine Freunde, daß sie dir beim
Basteln helfen, dann kann der Spielespaß
schon bald beginnen.

Flunderspiel

Farbiges Seidenpapier
Schere
UHU-Klebstoff

Hast du gesehen – zu diesem Spiel brauchst du nur ganz wenig Material. Doch du wirst staunen, was für ein lustiges Wettspiel daraus entsteht.

Schneide aus dem Seidenpapier zwei Flundern aus. Sie sollten etwa 30 cm lang sein. Dann klebe noch die Augen auf.

Spielregel:
Ein Wettspiel für zwei Spieler.
Jeder erhält eine zusammengefaltete Zeitung, eine „Flunder" und einen flachen Teller. Die „Flunder" liegt vor dem Spieler auf dem Boden, der Teller steht gegenüber, möglichst weit weg. Auf „Los" schlagen die Spieler mit der Zeitung die Fische vor sich her in Richtung Teller. Wer als erster seine „Flunder" auf dem Teller hat, ruft „Mahlzeit!" und ist Sieger.

Pustetüten

Buntes und
weißes Papier
2 glatte Schnüre,
jede etwa 4 – 5 m lang
Schere, UHU-Klebstoff

„Pustetüte" – Tüten pusten, das kann jeder!
An zwei gespannten Schnüren hängen, mit der Öffnung nach vorn, zwei Tüten. Durch Hineinblasen sausen sie vorwärts. Wer als erster seine Tüte ans andere Schnurende geblasen hat, ist „Pustekönig".

Aus dem bunten Papier werden etwa 20 x 20 cm große Quadrate geschnitten. Du kannst dir auch weißes Papier selber bunt bemalen.
Die Quadrate rollst du zu einer spitzen Tüte und klebst sie zusammen (Zeichnungen 1 und 2).

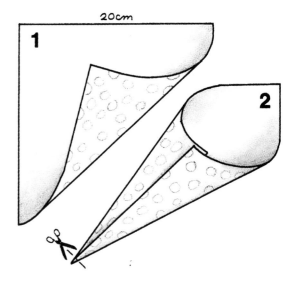

Die Spitze wird ganz knapp abgeschnitten, so daß eine kleine Öffnung entsteht. Durch diese fädelst du die Schnur, bevor sie gespannt wird. Achte darauf, daß die Schnur glatt ist, damit die Tüten gut rutschen.

Löwenbändigerspiel

**1 Zeichenblockpappe
gelber Pappteller
gelbes Papier
gelbes Kreppapier
rote Papierservietten
Sand, Alufolie
Schere, UHU-Klebstoff**

gelbes Kreppapier

Öffnung 15 cm

Pappteller auf Pappe aufkleben

Zeichenblockpappe   Farbpapier

Sand in Alufolie

Serviette

fertige "Fleischstückchen"

Für den Löwen schneidest du zunächst den Boden aus dem Pappteller, das ist das Löwenmaul.
Dann klebst du aus weißem und schwarzem Papier Nase, Augen und Schnurrhaare auf den gelben Tellerrand.
Schneide aus gelbem Kreppapier einen 10 cm breiten und etwa 1 m langen Streifen zu. Falte den Streifen mehrmals und schneide dann mit der Schere dicht an dicht Fransen in den Streifen. Das ist die Löwenmähne.

Bestreiche die Tellerrandkante von innen mit Klebstoff und klebe dort das gefranste Kreppapier fest. Die Mähne wird schön dicht, wenn du dasselbe wiederholst.
In die Zeichenblockpappe schneidest du dann eine Öffnung, die 3 – 4 cm größer ist als das Löwenmaul. Bevor du als allerletztes den Löwenkopf aufklebst, schneide aus gelbem Papier den Oberkörper aus und klebe ihn auf die Pappe.

Die „Fleischstückchen" machst du aus roten Servietten, in die du kleine Häufchen Sand (in Alufolie eingewickelt!) füllst.

Und so wird „gefüttert":
*Spannt eine Wäscheleine und klammert den Löwen daran fest.
Jeder Mitspieler versucht nun, aus 2 m Entfernung dem Löwen nacheinander 5 „Fleischstückchen" in den Rachen zu werfen.
Ist ein Mitspieler fertig oder trifft er daneben, kommt der nächste dran.
Jeder Treffer zählt einen Punkt und wird aufgeschrieben. Trifft man fünfmal hintereinander, bekommt man einen Zusatzpunkt. Nach mindestens 3 Runden zählt jeder seine Punkte zusammen. Wer die meisten Treffer hatte, ist Löwenbändiger und darf den Löwen mit nach Hause nehmen!*

Bänder- und Brezelspiel

Breitere Geschenkband-
reste
weißer Karton
Filzstifte
einige kleine Brezeln
Wäscheleine
Schere, Locher

Zunächst schneidest du aus dem weißen Karton 20–30 runde Scheiben aus, die einen Durchmesser von etwa 5 cm haben sollten. Mit einem Locher stanzt du an zwei gegenüberliegenden Seiten Löcher ein. Dann schreibst du auf eine Seite verschiedene Zahlenwerte: ein Drittel der Scheiben hat die Zahl 5, ein Drittel die Zahl 10 und der Rest die Zahl 20.

Nun schneide aus den Geschenkbändern 40 cm lange Bänder zu (so viele, wie du Scheiben hast,

und noch einige mehr für die Brezeln). Durch jede Scheibe ziehst du ein Band, so wie es die Zeichnung zeigt. Dann knote die Bänder im Abstand von 20 cm an einer Wäscheleine fest. Verwende nach Möglichkeit den abgebildeten Knoten. Er öffnet sich sofort bei leichtem Zug, und das ist wichtig für das Spiel.

So werden die Bänder und Brezeln geschnappt:

In 2 Meter Höhe wird die Wäscheleine mit den Bändern gespannt. Alle Kinder stellen sich darunter, die Hände auf dem Rücken (nicht schummeln!). Durch Hochspringen und Schnappen mit dem Mund versucht jeder, so viele Bänder und Brezeln wie möglich von der Leine zu holen. Die ergatterten Bänder schnell beiseite legen! Hat jemand eine Brezel geschnappt, darf er zum Schluß seine zusammengezählten Punkte verdoppeln. Das kann noch so manchen „Schnapp-Pechvogel" zum Gewinner machen…

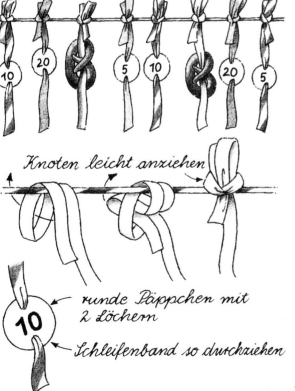

Knoten leicht anziehen

runde Päppchen mit 2 Löchern

Schleifenband so durchziehen

Fang die Maus!

**1 weißer Plastikbecher
Korken (so viel wie
Mitspieler)
farbige Wolle
farbiges Papier
Filzstifte
UHU-Klebstoff
Schere
1 Würfel**

Aufgepaßt, ihr Mäuse – die Katze liegt auf der Lauer! Wer reagiert am schnellsten, wenn sie zupackt? Dies ist ein spannendes Spiel für beliebig viele Spieler.

Die Ohren der Tiere werden aus verschiedenfarbigem Papier ausgeschnitten und an Becher

und Korken geklebt. Achte darauf, daß der Becher für die Katze auf dem Kopf steht.
Die Augen der Mäuse werde mit Filzstift aufgemalt. Die der Katze kannst du aus Papier ausschneiden und aufkleben.
Für die Mäuseschwänze werden je 60 cm lange Fäden fest um die Korken gebunden und für die Barthaare kurze Wollfäden angeklebt.

Spielregel:
Die Spieler sitzen im Kreis. Jeder erhält eine Maus, einer die Katze und den Würfel. Die Mäuse werden dicht beisammen in die Mitte gestellt und am Schwanz festgehalten.

Nun wird gewürfelt. Bei einer Eins und einer Sechs muß die Katze die Mäuse fangen. Wer nicht schnell genug seine Maus weggezogen hat, ist gefangen. Er tauscht mit der Katze und geht nun selber auf Mäusejagd. (Wenn zwei Mäuse gefangen wurden, kann einer würfeln und der andere fangen.)

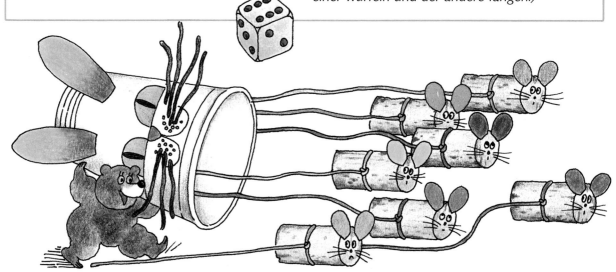

Sandmädchen

Bunte Stoff- und Garnreste
Sand, Papierkugeln
stabiler Karton
farbiges Papier
Butterbrotpapier
Stecknadel, Filzstifte
Schere, UHU-Klebstoff
1 Wender für Pfannen

Bei diesem Spiel fliegen bunte Sandmädchen in den Himmel und bringen von dort Wolken, Mond und Sterne mit.

Die Spielfiguren

Du brauchst pro Spieler eine Sandmädchen-Figur. Schneide einen Stoffrest zu einem etwa 12 x 12 cm großen Stück zurecht. In die Mitte häufelst du den Sand (etwa 3 gestrichene Teelöffel).

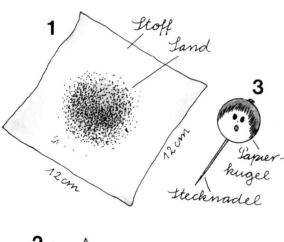

1 Stoff, Sand, 12 cm, 12 cm

3 Papierkugel, Stecknadel

2

4

Mit einem Stück Garn wird der Stoff nun so fest zusammengebunden, daß ein pralles Säckchen entsteht. Die Stoffenden knapp über dem Faden abschneiden. Bitte jemand größeren, dir dabei zu helfen.
Auf eine Papierkugel malst du Gesicht und Haare. Der Kopf wird mit einer Stecknadel auf das Säckchen gesteckt – und schon ist das erste Sandmädchen fertig.

Der Spielplan

Er sollte 40 x 40 cm groß sein. Schneide den festen Karton zurecht und bemale oder beklebe eine Seite mit Blau – das ist der Himmel. Nun brauchst du noch 1 Mond, 2 Sternschnuppen, 4 Wolken und 5 Sterne. Du kannst sie von der nächsten Seite abpausen, auf farbiges Papier übertragen und ausschneiden.

Sterne, Mond und Wolken werden lose auf den Spielplan gelegt. Dazwischen sollte ein Sandmädchen gut Platz haben.

Als **Schleuder** dient ein Wender für Pfannen. Ein Sandmädchen auf das Stielende setzen und den vorderen breiten Teil rasch herunterdrücken – schwupp – schon fliegt das Sandmädchen durch die Luft.

Zum Abpausen

4 ×

5 ×

2 ×

1 ×

Und so geht das Spiel:

Jeder Mitspieler bekommt ein Sandmädchen. Die „Schleuder" liegt direkt vor dem Spielplan. Einer beginnt und versucht, sein Sandmädchen so in den Himmel zu schleudern, daß es dort auf eine Figur plumpst beziehungsweise eine Figur berührt. Gelingt ihm das, darf er diese

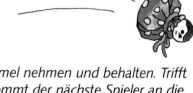

Figur vom Himmel nehmen und behalten. Trifft er ins Blaue, kommt der nächste Spieler an die Reihe. Wenn keine Figur mehr am Himmel ist, zählt jeder nach, was sein Sandmädchen ihm mitgebracht hat: Der Mond bekommt 20 Punkte, 1 Sternschnuppe 15, 1 Stern 10 und 1 Wolke 5 Punkte. Wer die meisten Punkte hat, dem wird heute eine extra lange Gute-Nacht-Geschichte erzählt…

Farben kegeln

9 Korken
farbiges Papier
9 abgebrannte Streich-
hölzer
Wellpappe, Wasserfarben
Schere, UHU-Klebstoff
1 größere Glasmurmel

Hier heißt es nicht „Alle neune!", sondern
„Alle Farben!"

Die Spielfiguren
Das sind 9 Kegel, jeder in einer anderen Farbe.
Beklebe dazu die Korken mit farbigem Papier,
doch prüfe vorher, ob alle gut stehen. Zum Schluß
werden bunte Papierfähnchen um die Streichhölzer geklebt und diese in die Korken gesteckt.

Die Kegelbahn
Knicke die beiden Wellpappe-Streifen einmal der
Länge nach in der Mitte, damit sie stehen können.
Dann male sie bunt an.

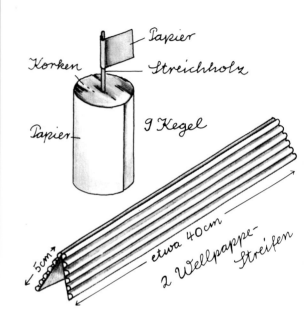

Papier

Korken

Streichholz

Papier

9 Kegel

etwa 40cm

2 Wellpappe-Streifen

5cm

So wird gekegelt:
*Gespielt wird auf einer glatten Tischfläche. Die
Kegel werden in Dreierreihen im Abstand von
4 cm neben- und voreinander aufgestellt. Die
Wellpappestreifen werden wie eine Kegelbahn
hingestellt.*

*Einer beginnt und versucht, die Murmel so zu
rollen, daß sie einen oder mehrere Kegel
umstößt. Auf dem Zettel wird angekreuzt,
welche Farbe(n) getroffen wurde(n). Die Kegel
werden wieder aufgestellt und der nächste
kommt dran. Wer als erster jede Farbe angekreuzt hat, ist Sieger.*

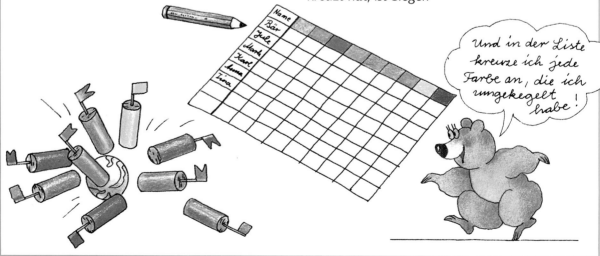

*Und in der Liste
kreuze ich jede
Farbe an, die ich
umgekegelt
habe!*

Treffpunkt im Spielhaus

1 Schuhkartondeckel
1 Glühbirnen-Schachtel
festes Papier
farbiges Papier
Wasserfarben, Klebefilm
Schere, UHU-Klebstoff
verschiedenfarbige Murmeln

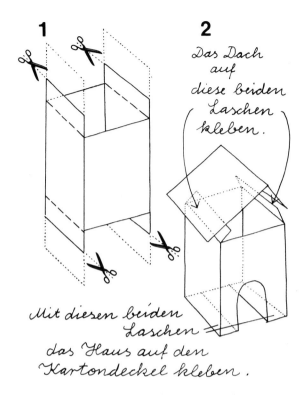

1 **2**

Das Dach auf diese beiden Laschen kleben.

Mit diesen beiden Laschen das Haus auf den Kartondeckel kleben.

Mitten im Park steht ein Spielhaus. Dort wollen sich die bunten Murmeln treffen.

Zuerst wird der Schuhkartondeckel innen und außen angemalt. Auf der Zeichnung nebenan siehst du, wie die Glühbirnen-Schachtel zum Spielhaus wird: Die beiden großen Deckel-Laschen ganz, von den 4 kleinen Laschen $2/3$ abschneiden. Mit farbigem Papier bekleben und ein rundes Tor herausschneiden. Es muß so groß sein, daß deine Murmeln gut durchrollen können. Ein Stück festes Papier bemalen oder bekleben und als Dach aufkleben.

Unten siehst du das Pausmuster für eine große Hecke; du kannst daraus auch zwei kleine

machen. Nach dem Abpausen auf festes Papier übertragen und von beiden Seiten bekleben oder bemalen. Nun werden das Haus und mindestens 2 Hecken in den Schuhkartondeckel geklebt (Foto auf Seite 113). Je mehr Hecken du hast, desto schwieriger wird dein Geduldspiel.

Zum Abpausen

Jetzt wird „gekugelt":

Dieses Spiel kannst du alleine spielen und dabei deine Geschicklichkeit und deine Geduld testen.
Zuerst versuchst du, eine Kugel in das Haus zu bringen, dann zwei und nach und nach immer mehr.

Wenn du mit deinen Freunden spielen willst, braucht ihr dazu eine Uhr: Wer schafft es, daß sich in zwei (oder mehr) Minuten drei (oder mehr) Kugeln im Spielhaus „versammeln"?

Bäumchen pflanzen

> Grünes u. gelbes Kreppapier
> blaues Tonpapier
> 1 Schuhkartondeckel
> braunes Geschenkpapier
> Butterbrotpapier, Schere
> UHU-Klebstoff, Klebefilm

In diesem Würfelspiel kannst du dich wie ein richtiger Baumgärtner fühlen. Erst setzt du kleine Bäume in die Erde ein. Danach gießt du die Bäumchen tüchtig, damit sie auch zum Blühen kommen. Bald blüht ein ganzer Wald!

Bäumchen
Vielleicht bastelst du die Spielfiguren und das Spiel-

feld gleich zusammen mit 1 oder 2 Mitspielern. Das macht mehr Spaß und geht schneller:
Aus grünem Kreppapier schneidet und wickelt ihr die Bäumchen – im ganzen 18 Stück.
Jedes Bäumchen wird am unteren Ende fest mit Klebefilm umwickelt (Zeichnungen 1–3).

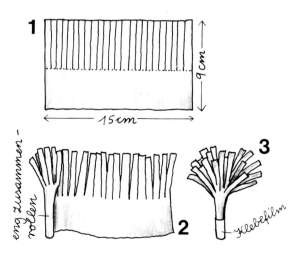

116

Wasser und Blüten

Paust euch die Wasser-Form 18mal auf blaues Tonpapier und schneidet sie aus.
Die 18 Blüten schneidet ihr aus gelbem Krepppapier. Von der Mitte des Papierquadrats her dreht ihr kleine vierblättrige Blütenformen zusammen (Zeichnungen 4 und 5).

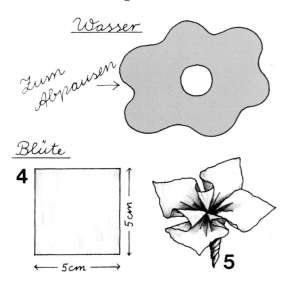

Wasser

Zum Abpausen →

Blüte

4 ← 5cm → 5cm

5

Spielfeld und Farbwürfel

Ein Schuhkartondeckel ist das Spielfeld. Ihr beklebt ihn mit braunem Papier und stecht 18 Löcher hinein. – Als Farbwürfel wird ein normaler Würfel mit je 2 grünen, blauen und gelben Papierstückchen beklebt.

Spielfeld und Farbwürfel

Jeder Spieler macht sich eine Liste, in der er immer ankreuzt, was er gewürfelt hat. Und das sieht so aus:

Spielregel (für 2 – 3 Spieler):

18 Bäumchen, 18 Wasserformen und 18 Blüten liegen für jeden Spieler erreichbar auf dem Tisch. Das Spielfeld mit seinen 18 Löchern ist noch leer. Beim Würfeln mit dem Farbwürfel werden nach und nach 18 Bäumchen gepflanzt: erst in die Erde eingesetzt, dann gegossen und schließlich zum Blühen gebracht. Nun wird reihum gewürfelt. GRÜN bedeutet: Nimm dir ein Bäumchen vom Tisch und setze es in ein Loch auf dem Spielfeld. BLAU bedeutet: Nimm dir ein Wasser und stecke ein noch ungegossenes Bäumchen hinein. Gibt es

kein solches Bäumchen auf dem Spielfeld, ist nichts zu tun. GELB bedeutet: Schmücke ein gegossenes Bäumchen mit einer Blüte. Ein ungegossenes Bäumchen kannst du nicht zum Blühen bringen. Wer eine Farbe würfelt, aber nichts tun kann, darf noch ein 2. Mal würfeln. Gegen Ende des Spiels wird es keine Bäumchen mehr zu pflanzen geben. Dann wird langsam auch das Wasser knapp. Aber erst wenn das allerletzte Bäumchen gegossen und erblüht ist, steht der größte Baumpflanzer fest: Wer hat die meisten Bäumchen eingesetzt und gegossen und zum Blühen gebracht?

Laterne, Laterne...

Bald ist Martinstag – und wenn du die Kindergärtnerin bittest, daß sie mit euch viele Eulenlaternen bastelt, wird beim Laternenumzug eine große Eulenfamilie leuchtend durch die Straßen ziehn...

Stablaternen eignen sich prima für Gartenfeste, man kann sie einfach in den Boden stecken.

Hast du schon mal einen Laternengruß verschickt? Auf Seite 125 siehst du, wie er gebastelt wird.

Goldenes Licht

Schwarzes Tonpapier
goldenes Metallpapier
Schere, UHU-Klebstoff

Schneide einen Tonpapierstreifen von etwa 50 cm Länge und 16 cm Breite aus. Er wird wie bei der Eule (Seite 122) in vier gleich große Teile eingeteilt. Aus jedem Teil schneidest du ein Fenster aus.

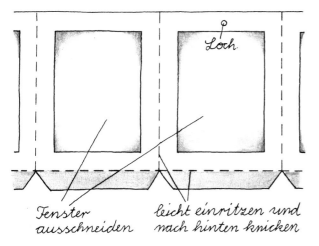

Loch

Fenster
ausschneiden

leicht einritzen und
nach hinten knicken

Nun brauchst du vier Goldpapierstücke, die etwas größer als die Fenster sind. Sie werden längs zusammengefaltet und mehrmals schräg eingeschnitten.

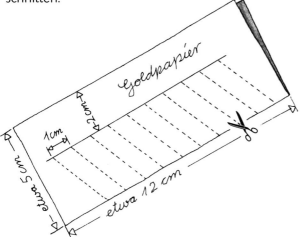

Goldpapier

1 cm

2 cm

etwa 5 cm

etwa 12 cm

Nachdem du die Teile wieder auseinandergefaltet hast, wird jede zweite Spitze nach oben geknickt.

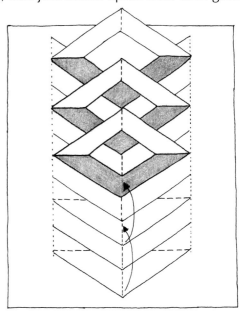

Hinter jedes Fenster klebst du ein Stück Goldpapier. Dann wird die Laterne genau wie bei der Eule eingeritzt, geknickt und zusammengeklebt. Zum Schluß setzt du noch einen 12 x 12 cm großen Boden darunter.

Stablaterne

Farbiges Tonpapier
Drachenpapier in
verschiedenen Farben
Wellpappe
Schere, UHU-Klebstoff
alter Besenstiel oder
Holzstab

Zeichne die Form von Seite 121 in der richtigen Größe viermal auf das Tonpapier und schneide sie aus. Die Klebeflächen werden leicht eingeritzt. Aus jedem Teil wird ein Fenster ausgeschnitten (mit einem angeklebten Fensterkreuz). Hinterklebe jedes Fenster mit farbigem Drachenpapier.

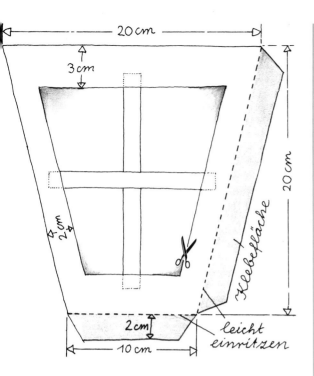

Danach klebst du die 4 Teile und den Boden (10 x 10 cm) aneinander.

Für die Befestigung am Stab nimmst du lange Wellpappestreifen, die etwa 3 cm breit sind. Sie werden so lange fest um das eine Stabende geklebt, bis du einen Sockel mit einem Durchmesser von etwa 6 cm hast. Laß zwischen den einzelnen Schichten den Klebstoff antrocknen. Auf diesen Sockel klebst du die Laterne.

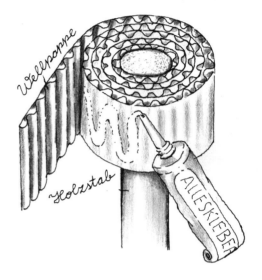

Und so entsteht eine **Doppellaterne:**
Übertrage die beiden Formen (unten) in der richtigen Größe jeweils viermal auf das Tonpapier. Dann bastle zwei Laternen und schneide runde und eckige Fenster heraus. Zum Schluß klebst du beide Laternen aufeinander.

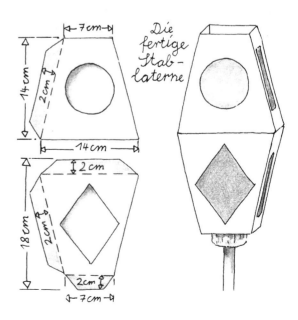

Eulenfamilie

Schwarzes Tonpapier
Drachenpapier in
verschiedenen Farben
scharfes Messer, Schere
UHU-Klebstoff, Klebefilm

Für eine mittelgroße Eule brauchst du einen
Tonpapierstreifen von 50 cm Länge und 17 cm
Breite. Zeichne mit Bleistift und Lineal vier gleich
große Teile und die Klebeflächen auf.
Auf der Zeichnung siehst du, wie das Tonpapier
eingeschnitten und geknickt wird und auf welches
Teil das Eulengesicht kommt. Das Knicken geht
besonders leicht, wenn du die Linien zuvor mit
einem Messer leicht einritzt.

Hier siehst du das Muster für einen Flügel. Diese
Eule braucht etwa 15 cm hohe Flügel.

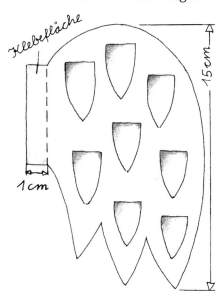

Wenn alle Teile ausgeschnitten und angeritzt sind,
malst du mit Bleistift Augen, Schnabel und Federn
auf. Die geraden Linien werden mit dem Messer,
der Rest mit der Schere ausgeschnitten. Dann
hinterklebst du alles mit farbigem Drachenpapier.

Das Tonpapier wird an den angezeichneten
Stellen geknickt und an den Klebestellen zusammengeklebt. Der Laternenboden muß 12 x 12 cm
groß sein. Die Flügel werden mit Klebefilm befestigt.

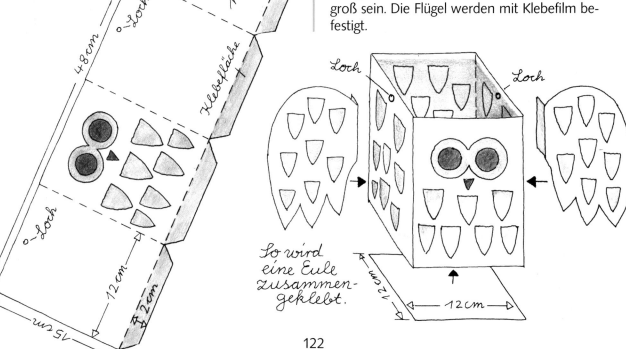

Leuchttürme

**Festes weißes Papier
Drachenpapier in
vielen Farben
Schere, UHU-Klebstoff**

Das ist eine Bastelei für die ganze Familie, denn:
je mehr Türmchen es sind, desto schöner sieht
es aus.

Schneidet verschieden lange und breite Streifen
aus dem festen Papier zurecht.
In eine Längsseite werden die Turmzinnen
geschnitten.

Unten seht ihr zwei verschiedene Muster und auf
dem Foto von Seite 123 noch einige mehr.

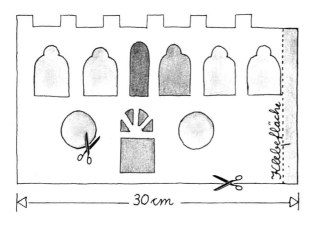

Fenster und Türen in den unterschiedlichsten
Formen werden zuerst mit Bleistift aufgezeichnet
und dann ausgeschnitten. Besonders schön ist es,
wenn einige Fenster kleine Fensterkreuze haben.
Hinter jedes ausgeschnittene Teil kommt farbiges
Drachenpapier.
Dann wird das Ganze zu einem Turm zusammen-
geklebt.

Das große Turmleuchten kann beginnen, wenn in
jedem Turm eine brennende Kerze steht...

Laternen-Gruß

Festes weißes Papier
Butterbrotpapier zum
Abpausen
Drachenpapier
alte Nagelschere
UHU-Klebstoff
Briefumschlag

Diese Laterne paßt zusammengefaltet in einen Briefumschlag. Wenn du jemand eine Freude machen willst, verschicke solch eine kleine Tischleuchte zusammen mit einem Gruß von dir.

Schneide vom festen weißen Papier einen Streifen zurecht, der 42,7 cm lang und 15 cm breit ist.

Zum Abpausen

Wenn du den Laternenstreifen zurechtgeschnitten hast, pause die Katzenfigur ab, übertrage sie auf die vier Laternenwände und schneide sie vorsichtig aus.

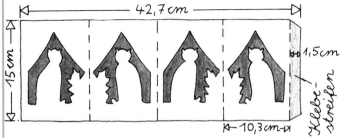

Katzen-Figur 4 x aufpausen, dann die grauen Flächen ausschneiden.

Dann hinterklebst du die ausgeschnittenen Teile mit Drachenpapier.

Drachenpapier dahinter kleben

einritzen und zusammenfalten

Falte die Laterne so zusammen, wie du es hier siehst. Schreibe auf den Klebestreifen „hier zusammenkleben!".
Nun fehlt nur noch dein Gruß – und ab geht die Post!

... und ab geht die Post!

Eicheln, Kastanien, Blätter und Beeren…

Die schönsten Herbstbasteleien

Jetzt beginnt die Zeit, wo du prima mit
Naturmaterial basteln kannst.
Kastanien, Eicheln, Bucheckern, Ästchen,
Rinden, Blätter und Beeren – schon das
Sammeln macht Spaß!
Und wenn es draußen regnet, wird drinnen
gebastelt. Da entstehen viele große und
kleine Tiere, schöne Geschenke aus gepreßten
Blättern und ein federleichtes
Schmetterlingsmobile.

Alle meine Tiere

Kastanien mit Schalen
Eicheln, Hagebutten
Bucheckern mit Schalen
Zapfen, Stöckchen
Lärchenzapfenschuppen
Kiefernnadeln, Beeren
Ahornsamen, Blätter
Federn, Gewürznelken
Messer, Schere
UHU-Klebstoff

Maus

Eine Eichel, ein dünnes, gebogenes Ästchen, zwei
Ohren aus Lärchenzapfenschuppen und eine
Beeren-Nase – fertig ist das Mäuslein.

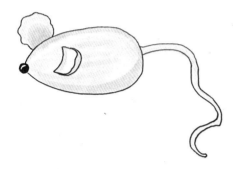

Igel

Nimm eine Kastanienschale, die ist schön
stachelig. Schneide ein Stück davon ab und klebe
es so auf eine Eichel, daß die Spitze herausguckt.

Eine flache Eßkastanie
sieht auch aus wie ein Igel

Vogel

An einen Kiefernzapfen werden schöne Federn
geklebt. Der Kopf entsteht aus einer Eichel mit
einem Schnabel aus Zapfenschuppen.
Für die Beine brauchst du zwei Stöckchen, die an
einem Ende eine Gabelung haben.

Pfau

Mit einem Rad aus Ahornsamen zeigt sich der
stolze Pfau.
Eine Kastanie wird dreimal vorsichtig angebohrt,
und aus drei Stöckchen entstehen Hals und Beine.
Eine Eichel ist der Kopf, zwei Bucheckern sind die
Füße.

kleines
Blättchen

Ahornsamen erst
ankleben, wenn der
Pfau gut steht

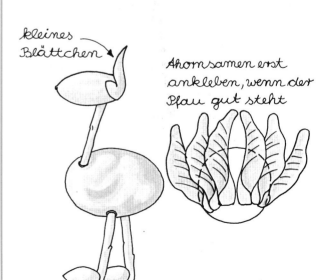

Käfer

Du brauchst drei leicht gebogene Ästchen für die Beine. Klebe an das flache Ende einer Eichel eine kleine Hagebutte – das ist der Kopf. Nun werden die Beine unter die Eichel geklebt, und fertig ist der kleine Käfer.

Zwei kleine Ästchen
sind die Fühler

Fliege

In den Kastanien-Körper werden an zwei Seiten je drei Löcher gebohrt. Dorthinein klebst du sechs abgewinkelte Stöckchen als Beine.
Mit den großen Ahornsamen-Flügeln sieht die Kastanie doch fast wie eine echte Fliege aus…

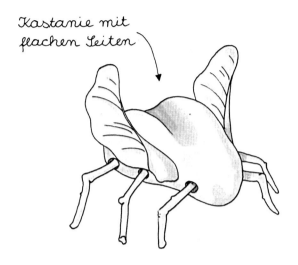

Kastanie mit
flachen Seiten

Frosch

Eine große Kastanie ist der Körper, eine kleine der Kopf. Aus der kleinen wird vor dem Zusammenkleben das Maul herausgeschnitten. Zwei Gewürznelken einfach darüber eingesteckt sind die Augen. Zum Schluß bekommt dein Frosch noch Füße aus kleinen Ahornsamen angeklebt.

Hier
vorsichtig
2× ein-
schneiden

Schaf

Ein Lärchenzapfen und eine Eichel werden vorsichtig angebohrt und mit einem angespitzten Streichholz verbunden. Vier Stöckchen in den Zapfen gesteckt sind die Beine. Zwei Teile einer Bucheckernschale klebst du zum Schluß als Ohren und zwei Beeren als Augen an.

Mit einem Grasbüschel wird daraus ein Hund

Schnecke

Eine schöne, runde Kastanie ist das Schneckenhaus. Ein dicker gegabelter Stock ist der Körper. Schneide vorsichtig eine passende Kerbe in die Unterseite der Kastanie und klebe dort den Stock hinein.

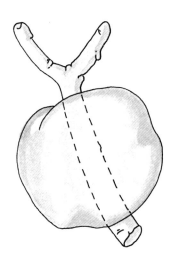

Alles aus Blättern

Viele verschiedene Blätter
fester, weißer Karton
Schachteln, Dosen
Briefpapier
Zahnbürste, Wasserfarben
Schere, UHU-Klebstoff

Schöne Blätter suchen macht richtig Spaß! Da merkt man erst einmal, wie verschieden sie alle in Form und Farbe sind.

Bevor du etwas damit basteln kannst, mußt du die Blätter pressen. Dazu nimmst du ein altes Telefonbuch oder einen alten Katalog, denn die Blätter können abfärben und die Seiten wellig werden. Lege die Blätter zwischen die Seiten und beschwere das Buch. In etwa zwei Wochen sind die Blätter ganz flachgepreßt und trocken.

Wenn du mit Blättern bastelst, möchtest du vielleicht auch ihre Namen kennenlernen. Auf Seite 132 findest du einige…

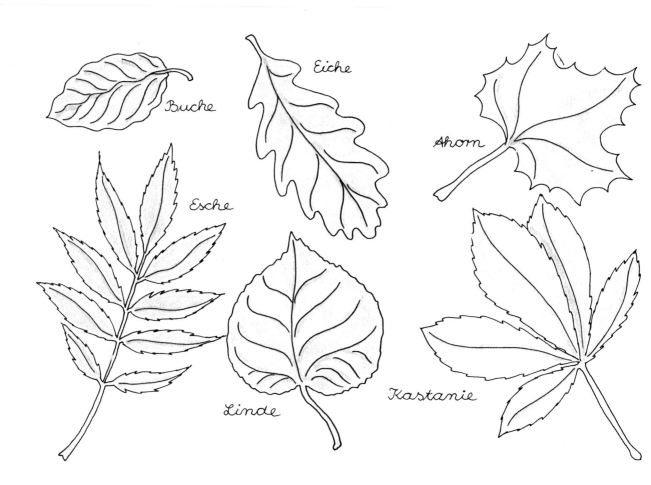

Buche

Eiche

Ahorn

Esche

Linde

Kastanie

Schöne Verpackungen

Aus leeren Käseschachteln und Dosen kannst du wunderschöne Verpackungen zaubern, wenn du viele gepreßte Blätter hast. Klebe sie dicht an dicht auf die Schachtel oder Dose.

Schön sieht es auch aus, wenn du die Blätter zuerst auf farbiges Papier klebst und damit deine Schachtel oder Dose beziehst.

Das Rezept für diese verlockenden Schokoladenblätter findest du auf Seite 134

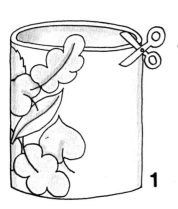

Überstehende Blätter abschneiden

1

farbiges Papier

damit die Dose beziehen

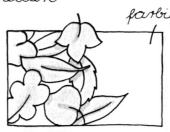

2

Danach Papier an den Rändern abschneiden

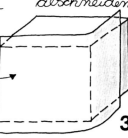

3

Blättermemory

Sicherlich kennst du dieses Spiel schon. Aber mit „Blätter-Karten" hast du bestimmt noch nicht Memory gespielt.

Zuerst sammelst du dir möglichst viele verschiedene Blätter, und zwar immer zwei von jeder Blattart. (Es wäre gut, wenn du etwa 20 Blattpaare hast.)

Dann schneide aus festem Karton für jedes Blatt eine 12 x 12 cm große Karte zurecht. Auf jede Karte wird ein Blatt geklebt.

Du kannst die Karten auch beschriften

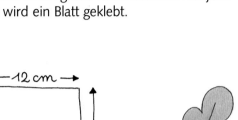

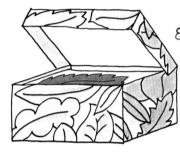

Eine schöne Verpackung für dein Spiel findest du auf Seite 132

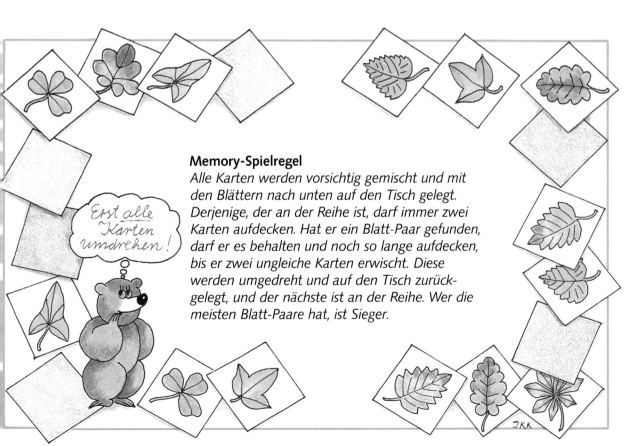

Memory-Spielregel

Alle Karten werden vorsichtig gemischt und mit den Blättern nach unten auf den Tisch gelegt. Derjenige, der an der Reihe ist, darf immer zwei Karten aufdecken. Hat er ein Blatt-Paar gefunden, darf er es behalten und noch so lange aufdecken, bis er zwei ungleiche Karten erwischt. Diese werden umgedreht und auf den Tisch zurückgelegt, und der nächste ist an der Reihe. Wer die meisten Blatt-Paare hat, ist Sieger.

Erst alle Karten umdrehen!

Bunte Blätter-Bilder

Mit Blättern kann man die schönsten Bilder „malen", zum Beispiel Blätterblumen, -tiere oder -männchen.

Auf weißen Karton legst du dir zuerst die Figuren aus Blättern zurecht. Nun kannst du die Blätter noch so lange hin und her schieben, bis dir die Figur richtig gefällt. Erst dann klebe die Blätter fest.

Briefpapier

Mit Blättern kannst du dir dein ganz persönliches Briefpapier bedrucken.

Du brauchst weißes oder farbiges Briefpapier und verschiedene schöne Blätter, die nicht zu groß sein dürfen.

Lege ein Blatt auf einen Briefpapierbogen und tupfe eine alte Zahnbürste in Wasserfarbe. Indem du mit dem Daumen vorsichtig über die Borsten fährst, spritzt die Farbe in kleinen Tröpfchen auf das Papier. Wenn du das Blatt nach dem Trocknen wegnimmst, hat es sich auf dem Papier abgezeichnet.

Auf dieselbe Art werden auch die Briefumschläge bedruckt.

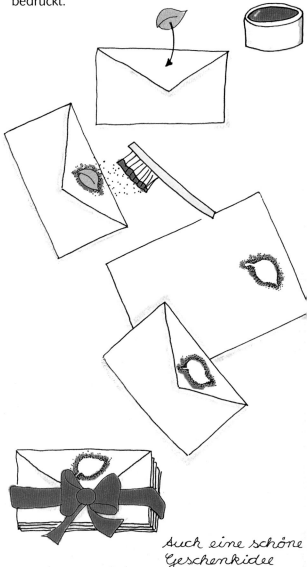

Auch eine schöne Geschenkidee

Schokoladenblätter

Nimm Kuvertüre und schmelze davon zwei Drittel in einer Schüssel im Wasserbad. Die Schüssel aus dem Wasserbad nehmen, die restliche Kuvertüre dazugeben und so lange rühren, bis alles geschmolzen ist.
Verschiedene gewaschene Blätter mit der Oberseite flach in die Masse tauchen und zum Trocknen mit der Schokoladenseite nach oben über einen Kochlöffelstiel legen. Wenn die Schokolade fest geworden ist, kannst du die Blätter vorsichtig abziehen, und zurück bleiben Schokoladenblätter…

Schmetterlings-Mobile

1 verzweigtes Ästchen
4 gepreßte Blätter
Stöckchen, Kiefernnadeln
festes Garn, Knete
Schere, UHU-Klebstoff

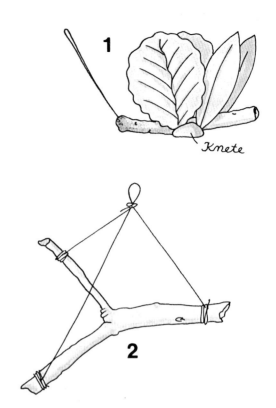

Schmetterling: Befestige ein Stöckchen mit Knete auf dem Tisch. Auf das Stöckchen klebst du schräg nebeneinander die Blätter als Flügel (Zeichnung 1) und die Fühler aus Kiefernnadeln.

Binde an das Ästchen drei etwa 25 cm lange Fäden, die du so zusammenknotest, daß es waagerecht hängt (Zeichnung 2). Knote an jedem Schmetterling einen Faden fest und binde diesen an das Mobile. Wenn du magst, kannst du es auch mit Schleierkraut schmücken (Foto).

Puppen-Parade

Hier kommen sie – die Spielpuppen
zum Selbermachen:
Viele, viele Klammermännchen, ein Clown
zum Marionettespielen, Kullerpuppen, die
Purzelbäume schlagen, und eine richtige
große Puppe zum Schmusen und Liebhaben.

Viele, viele Männchen

Einige Wäscheklammern
in verschiedenen Formen
und Größen
Kreppapier oder
Stoffreste
Wolle
Papierkugeln
farbiges Papier
Pfeifenreiniger, Knete
Streichhölzer
Nadel und Faden
Wasserfarben

Die alten Wäscheklammern sehen ja schon aus
wie Männchen – man muß sie nur noch anmalen.
Du kannst ihnen auch Rock und Hemd anziehen,
Haare ankleben oder einen Hut aufsetzen. Die
Arme sind aus einem Pfeifenreiniger.

Die „Haare"
sind aus
Wollfäden!

Ein Pfeifen-
reiniger wird
um die
Klammer
gewickelt.

In Knete
steht die
Klammer
gut!

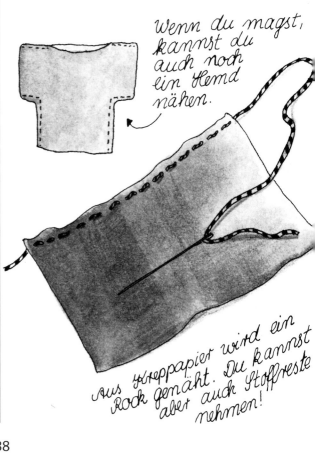

Wenn du magst,
kannst du
auch noch
ein Hemd
nähen.

Aus Kreppapier wird ein
Rock genäht. Du kannst
aber auch Stoffreste
nehmen!

Klebe eine Papierkugel auf eine Klammer – das ist der Kopf, und zwei Streichhölzer an die Seite – das sind die Arme. Jetzt noch anmalen und verkleiden, und wieder ist ein Männchen fertig!

Und so kannst du auch noch viele verschiedene Klammermännchen basteln, große und kleine, dicke und dünne: Wenn du weißt, wie du die Männchen haben willst, schneidest du dir die Formen aus Pappe aus. Jedes Männchen bekommt Klammerbeine. Darauf kann es gut stehen. Vielleicht denkst du dir noch ein schönes Spiel mit den Männchen aus!?

Die Arme auf den Körper kleben

Klammern am Körper festklemmen.

Kopf, Schwanz und Beine aus Pappe ausschneiden, an eine Klammer kleben, schon hast du einen Klammerhund.

Ein Clown zum Spielen

**Weißer Karton
Butterbrotpapier zum
Abpausen
Stoffrest, Wollreste
Nadel, Faden, Schere
bunte Perlen
2 leere Klorollen**

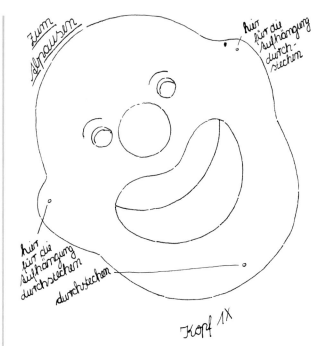

Zum Abpausen

hier für die Aufhängung durchstechen

hier für die Aufhängung durchstechen

durchstechen

Kopf 1X

Mit dieser Marionette kann man lustig spielen.
Vielleicht magst du sie jemandem schenken, der
krank ist.

Zuerst paust du die Muster für Kopf und Hände
ab, überträgst sie auf Karton und schneidest sie
aus.

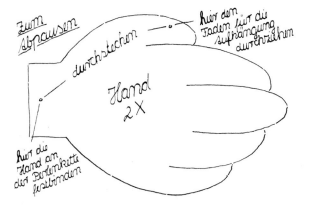

Zum Abpausen

durchstechen

hier den Faden für die Aufhängung durchziehen

Hand
2 X

hier die Hand an der Perlenkette festbinden

Das Pausmuster für die zweite Hand mußt du
umdrehen. Das Gesicht bemalst du mit Wasserfarben, aus Wollfäden machst du die Haare.

Nebenan siehst du, wie die Puppe zusammengebaut wird: Knote an ein ungefähr 60 cm langes
Stück Garn die eine Hand, fädle die Hälfte der
Perlen auf, ziehe den Faden durch den Stoffzipfel
und reihe dann die zweite Hälfte der Perlen auf.
Den Schluß bildet die zweite Hand. Der Kopf wird
in der Mitte am Stoffzipfel mit einem Stück Garn
festgeknotet.

solche Wollschlingen als Haar anklebn

so wird der Kopf festgeknotet

an den Stoff kommt vorm auffädeln ein Knoten

So werden nacheinander Hand, Perlen, Stoffzipfel, Perlen und Hand aufge-fädelt

achtung! alle Fadenenden fest verknoten

Auf dieser Zeichnung siehst du, wie der Kopf an der einen und die Hände an der anderen Klorolle befestigt werden.

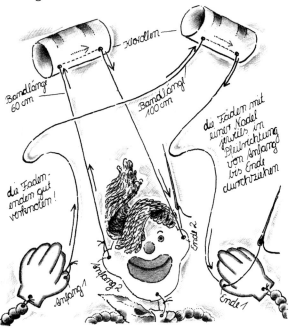

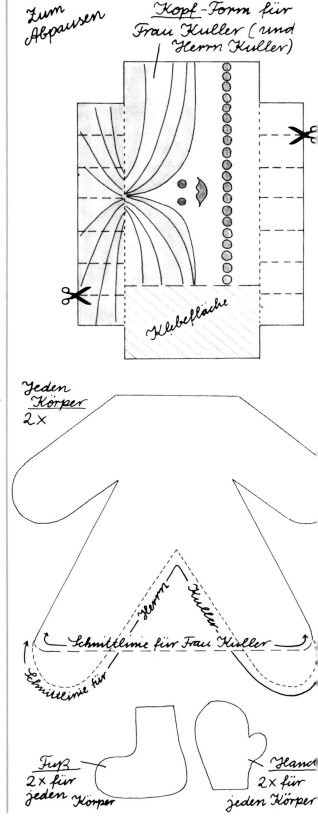

Herr und Frau Kuller

> **Stoff- oder Filzreste
> 2 kleine Eisen- oder
> Bleikugeln
> (etwa 1,5 cm Durchmesser)
> weißer Karton
> Butterbrotpapier
> Filzstifte, Stecknadeln
> Schere, UHU-Klebstoff**

Mit diesem Paar kannst du so manche lustige Kullerpartie erleben…

Zuerst Körper, Hände und Füße abpausen und nach den Pausen aus dem Stoff ausschneiden (Zeichnung 1). Dies machst du mit jeder Form zweimal. Für jede Figur werden die beiden

142

Körperteile gegeneinandergeklebt und dabei Hände und Füße dazwischengeklebt (Zeichnungen 2 und 5). Nur der Halsrand bleibt offen.

Die Kopf-Form abpausen und auf den weißen Karton übertragen. Ausschneiden, entlang den Linien einschneiden und an der Klebefläche zu einer Röhre kleben (Zeichnung 3). Vom oberen Teil die eingeschnittenen Stücke nach innen biegen und aufeinanderkleben (Zeichnung 4). Die Kugel hineinlegen und die untere Seite genauso schließen.

Nun den Kopf in den offenen Halsausschnitt kleben und Gesicht und Haare aufmalen (Zeichnung 5). Die Röhre für den Kopf mußt du zweimal basteln, einmal für Frau und einmal für Herrn Kuller.

Damit die Püppchen kullern können, nimmst du ein schräggestelltes Brett, auf das du ein Handtuch legst. Nun die beiden auf den „Gipfel" gesetzt, ein kleiner Schubs, und schon purzeln sie kopfüber hinab!

Du kannst auch ein Spiel daraus machen und mit jemand um die Wette kullern.

Ein Puppenkind

3 alte Socken (eine
davon ohne Muster!)
Watte, Wollreste
1 Stoffrest (20 x 40 cm)
etwas Spitze, Geschenkband
Nadel, Faden, Schere

Schneide die Socken so aus, wie du es auf der
Zeichnung nebenan siehst.
Nimm für Kopf und Arme die Socke, der einer
Hautfarbe am ähnlichsten ist (Beige, Rosa, Weiß,
Braun, Schwarz …).

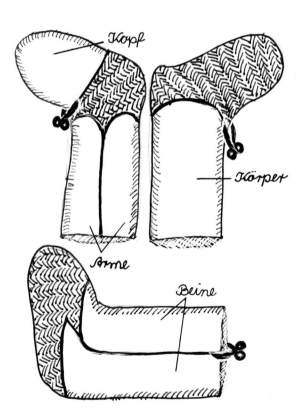

Kopf: Mit Watte zu einer Kugel ausstopfen
und so abbinden, daß etwa 2 cm überstehen.
Das Gesicht aufsticken.

Arme und Beine: Wie kleine Säcke zusammennähen, wenden, mit Watte füllen und zunähen.

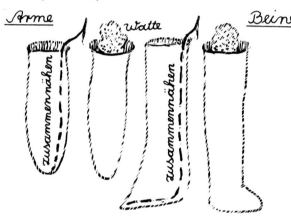

Körper: Die runden Seiten zusammennähen, das
Teil wenden, mit Watte füllen und zunähen.

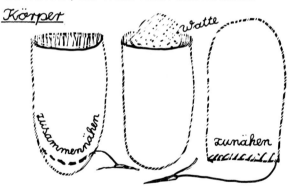

Haare: Teile die Wollreste in 3 gleich große Stränge
und nähe sie so am Kopf fest, wie du es hier siehst.
Nun kannst du verschiedene Frisuren machen.

Der überstehende Stoff des Kopfes wird mit Stecknadeln um das runde Ende des Körpers gesteckt
und dann gut festgenäht (Zeichnung A). Danach
Arme und Beine ebenfalls gut festnähen (Zeichnung B).

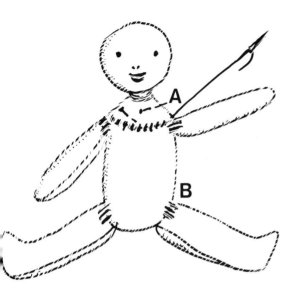

Puppenkleid: Falte den Stoff in der Mitte. Mache
dort einen Einschnitt, der so groß ist, daß der Kopf
der Puppe hindurchpaßt.
Etwas Spitze an die Schultern genäht – und schon
sind die Ärmel fertig! Wenn du einen Faden durch
etwa 15 cm Spitze oder ein Geschenkband ziehst
und der Puppe um den Hals bindest, hat das Kleid
einen Kragen. Und als Gürtel nimmst du ein
Geschenkband.

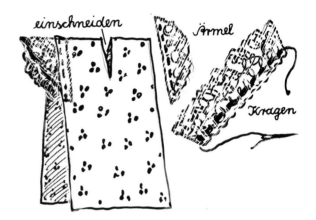

145

Basteln
vor Weihnachten

Der Christkindlmarkt ist
ein riesengroßer Adventskalender.
Wenn du ihn fertig gebastelt hast,
verstecken deine Eltern darin
24 kleine Überraschungen für dich.

Das Lichter-Häuschen und die schwimmenden
Lichter sind Kerzenhalter, die nicht jeder hat,
und wenn die ganze Familie bastelt,
könnt ihr eure Fenster
mit leuchtenden Sternen schmücken.

Auf dem Christkindlmarkt

Leere Schachteln
Wellpappe
blaues Tonpapier
2 Holzspieße, Alufolie
Holzperlen, Goldschnur
leere Streichholz-
schachteln
leere Klopapierrollen
Plakafarben, Watte
spitzes Messer
Schere, UHU-Klebstoff

Für diesen Kalender brauchst du eine Auswahl verschieden großer Schachteln. Die drei Schachteln für die Marktbuden sollten etwa 17 cm lang sein. Zwei oder drei kleinere Schachteln passen noch auf die Marktbuden.
Baue zunächst die Häuser probeweise auf. Vielleicht haben deine Schachteln schon schöne Farben, wenn nicht, kannst du sie mit Plakafarben bemalen oder mit Tonpapier bekleben.

Zuerst werden die Öffnungen in die Schachteln geschnitten. Die große Markise und die Klappläden werden mit einem spitzen Messer eingeritzt und umgeknickt.

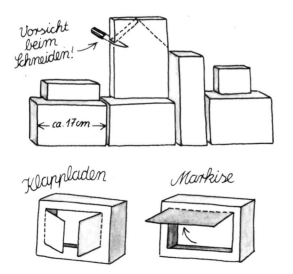

Vorsicht beim Schneiden!

ca. 17 cm

Klappladen   Markise

Eine Marktbude hat einen **Rolladen**: Schneide über der großen Öffnung einen schmalen Schlitz als Rolladenführung aus. Er muß etwas länger als der Rolladen sein. Dieser wird aus Wellpappe geschnitten.

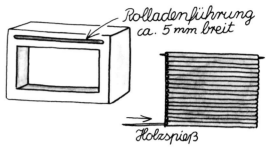

Rolladenführung ca. 5 mm breit

Holzspieß

Oben und unten schiebst du einen Holzspieß durch, der an beiden Seiten übersteht. Der Rolladen wird in die Führung eingeschoben und unten mit einem halben Streichholz geschlossen.

Rolladen mit Streich=holz schließen

In die Marktbuden passen etwa 12 kleine Geschenke. Mit Glanzpapier bezogene Streichholzschachteln und Pappringe nimmst du als Auslagen für die anderen 12 Geschenke.

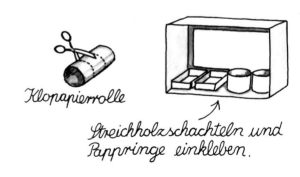

Klopapierrolle

Streichholzschachteln und Pappringe einkleben.

Wenn alle Türchen geschnitten sind, werden die Hausfassaden verziert. Du kannst auch verschiedene Giebelformen aus Papier schneiden. Bevor die Häuser aufgeklebt werden schreibst du die Zahlen auf die Türchen.

Himmel und Straße bastelst du aus einem stabilen, etwa 60 × 60 cm großen Karton. Falze ihn mit Lineal und Messer so wie auf der Zeichnung. Den Himmel machst du mit blauem Tonpapier.

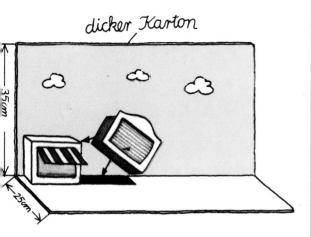

dicker Karton

35 cm

25 cm

Nun werden die Häuser seitlich aneinander, am Boden und Himmel gut festgeklebt (mit vier Händen geht es besser…!). Die Schneeflocken kannst du mit Deckweiß auftupfen oder -spritzen. Mit zerknitterter Alufolie machst du die Straße.

So werden die Geschenke in den Häusern versteckt: Mit Goldschnur verpacken, ein Schnurende länger lassen und durch eine Nadel fädeln. Die Nadel wird von innen durch ein Türchen gezogen, eine Perle aufgefädelt und das Schnurende verknotet (Foto Seite 151).

Wer hat
die schönsten Schäfchen?

Tonpapier, Metallpapier
24 leere Streichholz-
schachteln, Wellpappe
Filz- und Wollreste
24 Holzperlen
abgebrannte Streich-
hölzer, Watte
1 leere Klopapierrolle
1 Papierkugel (3 cm)
Plakafarben
Schere, UHU-Klebstoff

So werden die **Schäfchen** gebastelt:
Schneide 24 Schafsköpfe aus. Am einfachsten geht es, wenn du das Pausmuster einmal überträgst, ausschneidest und als Schablone nimmst. Auf etwas dickeres Papier zeichnest du mit Hilfe der

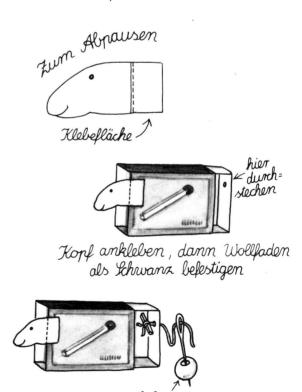

Zum Abpausen

Klebefläche

hier durch-stechen

Kopf ankleben, dann Wollfaden als Schwanz befestigen

Holzperle

Schablone die 24 Köpfe (damit nachher nicht alle Schäfchen in die gleiche Richtung schauen, kannst du die Schablone auch mal umdrehen). Dann werden die Köpfe angemalt und ausgeschnitten.

Die Schwänzchen machst du so: Wollfaden mit Nadel durch die Perle ziehen. Mit Knoten die Perle hinten befestigen. Nadel durch Schachtel ziehen und mit einem halben Streichholz innen verknoten.

Schneide aus Wellpappe 24 „Felle" aus und beklebe damit die Schachteln. Für die Ohren nimmst du kleine Wellpappeschnipsel. Klebe nun noch die Beine an die Schachtelrückseite.

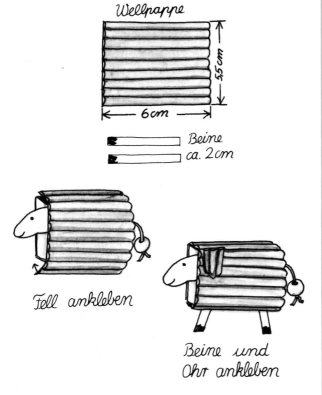

Fell ankleben

Beine und Ohr ankleben

Für den Hintergrund brauchst du einen großen Bogen Karton (60 x 80 cm). Mit farbigem Tonpapier, Plakafarben, Metallpapier und Watte kannst du dir eine schöne Landschaft gestalten (Foto nebenan).

Die Schäfchen werden so auf die Landschaft geklebt, daß man das Innenteil gut herausziehen kann und noch Platz für den Schäfer bleibt.

Und so wird der **Schäfer** gebastelt:
Schneide eine Klopapierrolle auf und biege die Ränder um. Ziehe durch ein Stück Filz mit groben Stichen einen Wollfaden. Dieser Umhang wird gerafft, um die Rolle gelegt, die Fadenenden werden durchgefädelt und die Rolle damit zusammengebunden. Male auf die Papierkugel ein Gesicht und klebe einen Wattebart an.

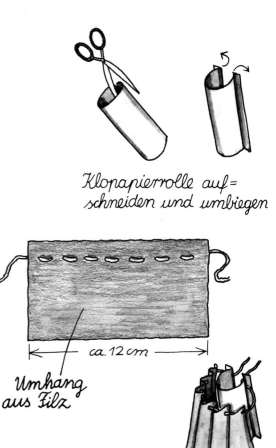

Klopapierrolle auf= schneiden und umbiegen

Umhang aus Filz

Wollfaden durch= ziehen und verknoten

Papierkugel bemalen

Watte

150

Für den Schlapphut schneidest du nach dem Pausmuster einen Kreisring aus, klebst ihn auf die Papierkugel und malst ihn an. Kopf und Körper werden gut zusammengeklebt. Nun klebst du den Schäfer zu seinen Schafen und schreibst zu jedem Tier noch eine Zahl.

Kerzenhalter

1 Bierdeckel, Metallpapier
Bucheckernhülsen
1 Adventskerze
Schere, UHU-Klebstoff

Draußen wird es jetzt früh dunkel. Da ist es drinnen besonders gemütlich, wenn eine Kerze brennt. Doch zünde eine Kerze nur an, wenn jemand größerer dabei ist!

Hier siehst du, wie aus ganz einfachen Sachen ein schöner Kerzenhalter entsteht.
Klebe ein Stück Metallpapier auf den Bierdeckel. Die überstehenden Teile werden am Rand entlang abgeschnitten. Nun stell die Kerze in die Mitte des Bierdeckels und klebe die Bucheckernhülsen rundherum, bis die Kerze ganz „umringt" ist.

Wer hat die schönsten Schäfchen,
die hat der goldne Mond,
der hinter unsern Bäumen
am Himmel droben wohnt.

Bucheckern

Bierdeckel

Metallpapier

Lichter-Häuschen

Selbsthärtender Ton
(kleine Menge)
Wasserfarben
spitzes Messer, 1 Teelicht

Dies ist ein Kerzenhalter, wie ihn nicht jeder hat:
Ein Häuschen, in dem ein Licht brennt!

Knete die Modelliermasse **auf einer Unterlage** gut
durch.

Für die **Wände** brauchst du etwa zwei Drittel der
Masse. Forme eine dicke Scheibe. Mach in die
Mitte ein Loch und drücke das Ganze zu einem
Ring – etwa 5 cm hoch und 1 cm dick (Zeich-
nungen 1 und 2). Diesen stellst du auf ein Brett.
Forme den Ring so, daß 4 Ecken entstehen (Zeich-
nung 3). Aus den Wänden schneide möglichst
viele Fenster und die Tür heraus (Zeichnung 4).
Die Reste für den Schornstein aufheben!

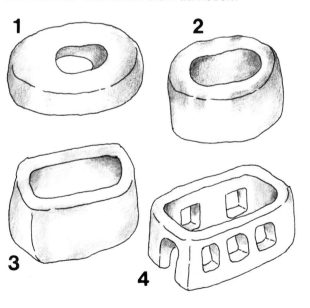

Für das **Dach** brauchst du das restliche Drittel der
Masse. Forme wieder eine Scheibe und drücke sie
so zurecht, daß ein Dach passend zum Haus

entsteht. Aus der Mitte schneide eine Öffnung für
den Schornstein heraus (Zeichnungen 5 – 7).

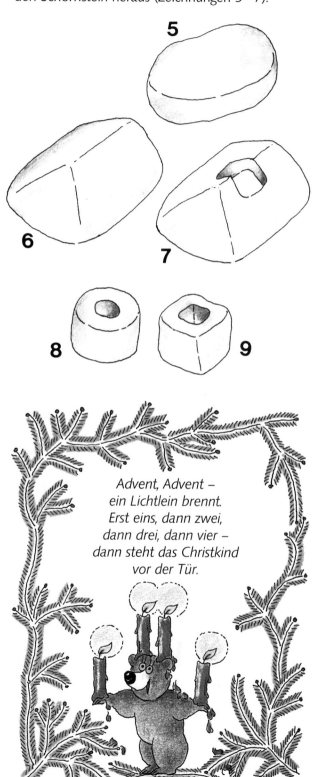

*Advent, Advent –
ein Lichtlein brennt.
Erst eins, dann zwei,
dann drei, dann vier –
dann steht das Christkind
vor der Tür.*

Für den **Schornstein** formst du aus den Resten einen Ring in der Größe der Dachöffnung. Drücke 4 Ecken heraus und setze ihn auf die Öffnung (Zeichnungen 8 bis 10). Nahtstellen gut verstreichen.

Das Dach auf das Unterteil setzen – und fertig ist das Haus. Es muß jetzt 2 – 3 Tage an der Luft trocknen. Erst dann kannst du es bunt anmalen.

10

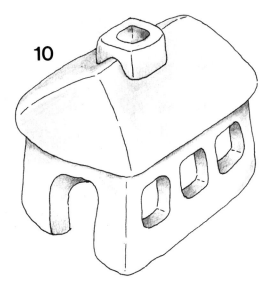

Stelle das Teelicht so darunter, daß es direkt unter dem Schornstein steht. Wenn du noch ein Räucherkerzchen dazustellst, kommt guter Duft aus deinem kleinen Haus.

Advents-Laterne

Dünne Metallfolie
1 Teelicht (mit Hülle)
Schere, UHU-Klebstoff

Wenn diese Laterne leuchtet, entstehen wunderschöne Schattenmuster auf dem Tisch und an der Zimmerdecke.

Das Stück Metallfolie sollte 20 cm lang und 15 cm breit sein. Die schmale Seite wird zur Hälfte gefaltet. Dann machst du an der Faltseite 5 cm lange Einschnitte, im Abstand von je 1 cm (Zeichnungen 1 und 2 unten). Bist du mit dem Einschneiden fertig, faltest du das Stück wieder auseinander. Die beiden kurzen Kanten werden aufeinandergeklebt (Zeichnungen 3 und 4). Ein brennendes Teelicht darunterstellen – und schon kann deine Adventslaterne leuchten.

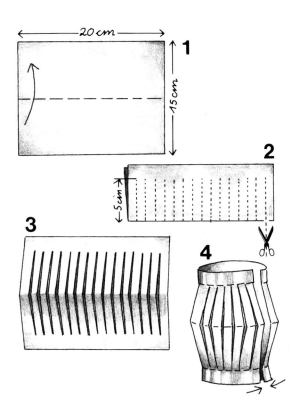

Du kannst auch kleine Laternen zum Aufhängen basteln: Das Stück Metallfolie muß dazu 10 cm lang und 8 cm breit sein. Zum Aufhängen ziehe ein Stück Zwirnsfaden durch oder klebe einen schmalen Streifen Metallfolie als Henkel an. Diese Laternen leuchten nicht, aber sie sehen sehr hübsch an einem Tannenzweig aus.

Leuchtender Fensterschmuck

> Schwarzes Tonpapier
> farbiges Seidenpapier
> Butterbrotpapier
> Schere, UHU-Klebstoff

Dieser Stern leuchtet, wenn du ihn gegen das Licht hältst. Deshalb sieht es am schönsten aus, wenn er am Fenster hängt.

Die Grundform zum Falten ist ein Quadrat. Wenn du die Schnittmuster auf der nächsten Seite abpausen willst, muß es etwa 17 x 17 cm groß sein. Schneide das Tonpapier in dieser Größe zurecht. Falte es dreimal, so wie du es auf der Zeichnung nebenan siehst. Pause eines der beiden Muster

von der nächsten Seite ab, übertrage es auf das gefaltete Tonpapier und schneide es aus.

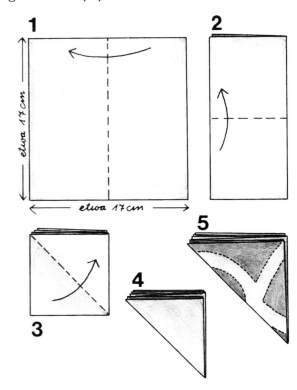

Nun vorsichtig auseinanderfalten. Damit dein Stern bunt leuchtet, klebe farbiges Seidenpapier hinter das „Sterngerüst". Achte darauf, daß es die richtige Größe hat.
Wenn du beide Muster ausprobiert hast, kannst du dir ja eigene Formen ausdenken. Die fertigen Sterne werden mit einem Stückchen Klebefilm an die Fensterscheibe gehängt.

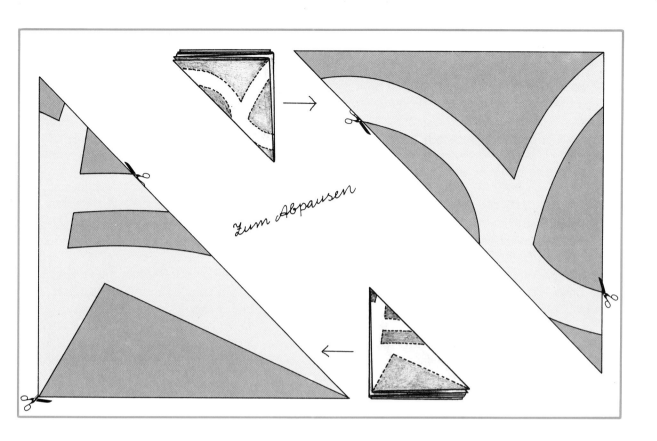

Zum Abpausen

Gefüllte Bratäpfel

Du brauchst dazu: 4 Äpfel (für 4 Personen)
4 Eßlöffel dunkelrote Marmelade
4 Eßlöffel grob gehackte Haselnußkerne
2 Eßlöffel Dosenmilch
1 Teelöffel Zimt
etwas Butter
1 Eßlöffel Zucker

Die Äpfel gut waschen. Das Kerngehäuse läßt du am besten von jemand größeren herausstechen. Marmelade, 2 Eßlöffel Nüsse, Dosenmilch und Zimt miteinander verrühren. Den Boden einer feuerfesten Form einfetten, die Äpfel daraufsetzen und mit der Masse füllen. Um die Äpfel einige Butterflöckchen legen. Den Zucker und die restlichen Nüsse darüberstreuen. Die Form in den heißen Backofen schieben (200° C). Je nach Größe der Äpfel dauert es 10–20 Minuten, bis sie fertig sind. Dazu schmeckt heiße Vanillesoße.

Schwimmende Lichter

Leere Konservendose
Wachsreste
Docht (Bastelladen)
mehrere Walnußhälften

Am oberen Rand der Dose formst du einen
Ausguß. In die Dose füllst du kleingeschnittene
Wachsreste und läßt sie im Wasserbad flüssig
werden. Die alten Dochte kannst du nun heraus-
fischen. Das Wachs gießt du vorsichtig in die
leeren Nußschalen (Zeichnung 1). Den Docht
tauchst du nur kurz darin ein, läßt ihn etwas
erkalten und ziehst ihn dabei gerade. Er wird erst
dann endgültig ins Wachs gesteckt, wenn sich an
dessen Oberfläche eine Haut bildet (Zeichnung 2).

der Docht
sollte den
Rand der
Nuß ½ cm
überragen

1

2

Damit deine Lichter schwimmen können, kleidest
du eine runde Kuchenform mit Alufolie aus und
füllst sie mit Wasser. Die Lichter glänzen auf
diesem silbernen See und drehen ruhig ihre Kreise.

Weihnachtsvögel

Mehrere Walnußhälften
Goldbronze, Pinsel
farbiges Tonpapier
Butterbrotpapier zum
Abpausen, Glimmer
dünne Goldschnur
Schere, UHU-Klebstoff

Zuerst werden alle Nußhälften mit Goldbronze
angemalt. Während sie trocknen paust du die
Vogelform von nebenan ab, überträgst sie mehrmals auf das Tonpapier und schneidest sie aus.
Auge, Schwanz und Schnabel werden mit Klebstoff
bestrichen und mit Glimmer bestreut. Durch das
Loch wird ein Stück Goldschnur gefädelt und festgeknotet (Zeichnung 1).

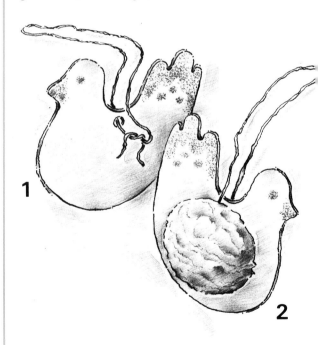

1

2

Nun bestreichst du immer zwei Nußschalen mit
Klebstoff und drückst sie von beiden Seiten fest an
den Vogelkörper (Zeichnung 2).
Auf dieselbe Art kannst du dir noch viele andere
Figuren basteln.

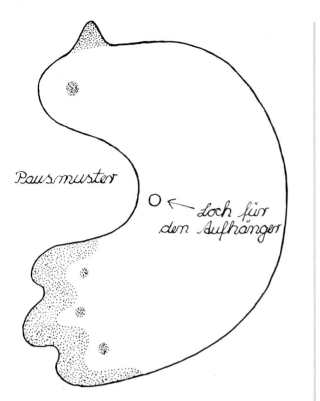

Pausmuster

O ← *Loch für den Aufhänger*

Schokonüsse
*Eine Tafel Milchschokolade in kleine Stücke brechen und im Wasserbad schmelzen.
Je 1 Tasse Rosinen und grob gehackte Walnüsse dazugeben und verrühren.
Mit 2 Teelöffeln Häufchen auf ein Blech setzen und 1 Stunde kalt stellen.*

159

Quellennachweis

Die Beiträge stammen aus folgenden Ravensburger Bastelbärheften: